夢機集外詩

張夢機 遺稿
賴欣陽 主編
賴欣陽 楊維仁 李佩玲
張富鈞 李正發
輯　編

文　學　叢　刊
文史哲出版社印行

國家圖書館出版品預行編目資料

夢機集外詩 / 張夢機遺稿；賴欣陽主編 --
初版 -- 臺北市：文史哲，民 104.04
頁；　公分（文學叢刊；347）
ISBN 978-986-314-253-9（平裝）

851.486　　　　104005677

文學叢刊 347

夢機集外詩

著　　者：張夢機遺著
主　　編：賴欣陽
輯 編 者：賴欣陽 楊維仁 李佩玲 張富鈞 李正發
出 版 者：文史哲出版社
http://www.lapen.com.tw
e-mail：lapen@ms74.hinet.net
登記證字號：行政院新聞局版臺業字五三三七號
發 行 人：彭正雄
發 行 所：文史哲出版社
印 刷 者：文史哲出版社
臺北市羅斯福路一段七十二巷四號
郵政劃撥帳號：一六一八〇一七五
電話886-2-23511028・傳真886-2-23965656

定價新臺幣二八〇元

中華民國一〇四年（2015）四月初版

ISBN 978-986-314-253-9　　09347

《夢機集外詩》顏序

張夢機《夢機集外詩》即將付梓，約四百餘篇；其詩庶幾可以全貌傳世矣。外集、別集、集外詩、補編、補遺、輯佚、他集互見、附錄，諸名目古已有之。歷代文士在世之時，自編詩文集以分享同道，而留傳後起者，此風自唐代以降漸多；故各家典籍之保存，較諸六朝之前，特爲完整。其中，眾所熟知者，元、白堪爲典範。

白居易生前曾多次自編詩文集，傳播遠至雞林，價重百金。武宗會昌五年，即樂天臨終前歲，總其詩文爲《白氏集》而作〈後記〉，自述厥有前著《長慶集》、《長慶後集》、《長慶續後集》。而後代歷多刊印者，往往爲之輯佚補闕，故今本《白居易集》存有〈外集詩詞〉一卷、〈外集文〉一卷，皆宋本所未載。

元稹自編詩文集，前後三次，可見於〈敘詩寄樂天書〉、〈上令狐相公詩啓〉、

〈進詩狀〉。然而歷代刊印，或傳或佚，或複刻或重編或補遺，卷次篇數各有出入。今本《元稹集》亦有補遺所得〈集外詩〉十一首及〈外集〉八卷。

既然詩人在世自編詩文集，何以遺珠如是之夥？蓋詩人以陽春白雪自期，每嚴於去取，故頗以己意刪削，而賸稿猶存人間；或者傳遞百代，其間後人更版重編，妄爲增刪；而求備者復爲輯佚，乃於內集之餘，另立外集、別集、集外詩文、補遺、附錄諸名。如此，雖大家所不能免，王、孟、李、杜、蘇、黃者，今所見詩文集皆呈斯貌。然其中或真僞相參，尤以他集互見之作，最爲難辨；而頗費學者考證之功，是耶！非耶！猶不免存疑。

一九七八年，夢機以《師橘堂詩》，獲中興文藝獎章；隔年，復以《西鄉詩稿》，獲中山文藝獎。兩集去其互見者，總數僅得二百四十餘篇；而夢機已年及不惑，束髮習爲吟詠，近三十載矣，其詩猶在生活、性命之外，多於風景、社交之間耳。

一九九一年，夢機忽罹風疾，廢臥。明年，由都城移家安坑，號其居曰「藥樓」；而形槁心灰，筆偃墨涸，無一字以譴鬼神、悲遭命。予與夢機爲元白交，豈忍見詩人自此廢爲木石，乃時相勸慰曰：「何不以才命之詩，遣彼悲苦之懷？」某日，夢機忽以新作示予，從此詩如活泉，流瀉不竭，未終歲而《藥樓詩稿》成，都二百六十餘首，一九九三年冬也。其後，詩在生活、性命之內，感於物、緣於事、動於情、發於心，而見於筆墨矣。接續梓成《鯤天吟稿》，一九九九年也；《鯤天外集》，二〇〇一年也；《夢機六十以後詩》，二〇〇四年也；《藥樓近詩》，二〇一〇年五月也。病後凡五集，總爲詩一千五百餘篇，詞六十餘闋；《藥樓近詩》付梓，未幾而夢機於二〇一〇年八月十二日忽爾辭世。時予遠居花蓮，聞之悲不能已，感賦一律，云：

元白交親四十年，遙天星落亂雲煙。我心悲逐詩人去，君病終隨薤露先。未絕唐音起大筆，猶霑俠氣對遺篇。從今縱有藥樓在，花色蟬聲空惘然。

追想夢機病後，每有作，輒使看護劉敏華女士謄寫，分寄詩友。其生活起居之況，感物緣事之懷，皆寓於聲文之間。予與夢機山川遠阻，難乎翦燭之會；若聊慰思念，則所賴者詩耳；故每接琬琰，莫不誦讀再三；乃知夢機以詩而存在，詩亦因夢機而光大矣。而積篇累牘，諸詩集於焉梓成，孰知賸稿竟多達四百餘篇，豈夢機去取之嚴，實遠邁於古人乎！

《夢機集外詩》之賸稿乃得之於哲嗣凱君與凱亮、摯友陳文華教授、看護劉敏華女士；復經門生賴欣陽、楊維仁、張富鈞、李佩玲多方蒐集、編校，而定名曰《夢機集外詩》。故其真僞無庸置疑，不待後世之考證矣。彼輩豈有心之人耶！知夢機不珍燕石，但惜隋珠；故特爲存藏，以待拾遺補闕，分享愛夢機詩者焉；而夢機詩亦得以全貌傳世矣。

予披讀集外詩，要旨以藥樓病居景況及感思、友生酬贈、傷時諷世、懷想故國各類爲多。諸篇皆非敝帚，可以自珍；實爲玉磬，殆無缶音！而夢機乃嚴其去取若此，不免遺珠有憾焉；幸賴諸君得以存全也。

夢機困於藥樓，如囚在獄，近二十載矣！雖憑欄遠眺而不能，山川風物之美，實空繫於追憶，或騁懷於遐想。昔日碧亭朋聚，閒看潭波，共對山色，而笑談千古，斯境已成幻影。夢機乃於集外詩數詠閒適、端居之懷，豈其胸臆果曠達如是者耶？或寓悲涼於洒脫者耶？吾輩讀之，於興會間，或有知夢機者可以爲解人。

夢機之廣結善緣，師長友生無不以性情交親；雖病居市郊，而門庭未嘗有可羅之雀，座席不乏談笑之賓；故酬贈乃夢機詩之大宗。近現代以降，學者多以不食人間煙火之所謂「純詩」爲尚，而鄙薄酬贈，以爲陋於實用。斯淺識偏見者之論也，特不知古者詩未嘗離用而體在；蓋詩盈於人間物際，隨用而顯體。所謂美者，何嘗虛求乎煙火之外！詩不過人間物際，吟詠性情之聲也，故酬贈乃其大用。李杜元白蘇黃，莫不以詩往還親友，而多真情實感之作，豈徒不食人間煙火之語哉！故詩之用，詩之體也；體用相即不離而詩在。若夢機之酬贈，珠璣充乎緘札，性情流於吟篇，皆有可觀者。近年，予倡「詩用」之學，或可另拓酬贈詩之詮釋視域也矣。

士之爲士也，其心不絕乎時世，治亂感於胸中，故或居廟堂或處江湖，進退皆以憂患爲懷，而發乎文章，紞如鐘鼓。吾於夢機，特賞其〈哀時〉、〈忿忿〉、〈歲寒述事〉諸篇，以爲有杜老、白傅之意。其在地情切，或憫天災、或憂人禍、或嘲選舉、或刺貪墨、或責奸賈、或譏庸吏，或寫罷黜元戎之圍城，或諷兩岸交流之互欺，其怨怒庶幾乎變雅者也。而夢機髫齡遭遇亂離，遷徙至於鯤瀛。巴蜀曾經，金陵嘗過，皆是故國之夢，唯托以神遊，而寓諸歌詠；黍離、麥秀之悲，實未歷乎其境；故詩意中國，常發於追懷之篇。逮乎解嚴，鐵幕門開，江山供眼，風雨似晴；乃履跡燕陝，漫遊蘇杭，而秣陵重到，樓台何如夢真？詩意中國，豈等乎現實？吟篇俱在，吾輩或可深味之也。

予嘗偕夢機之門生詩人渡也，憑弔於三峽塋域，孤塔擎岡，靈骨在罈，而斯人乘化，音容彷佛。渡也喟然曰：「吾師，大詩人也，何身後唯居一罈之地耳！」蓋愛敬其師也。嗚呼！夢機已矣，而其詩盈於天地，恆在乎歷史，豈一罈之所限！予序《藥樓詩稿》，嘗云：「夢機，詩人也，其爲天地文化而生乎！」今其集外詩即將付梓，予爲之序而特表明曰：「夢機以詩而存在，詩亦因夢機而光大矣」；則三峽瑩域，豈夢機之所歸歟！厝其骸骨而已矣。甲午歲暮顏崑陽序於花蓮。

淡江大學中文系教授　顏崑陽

《夢機集外詩》陳序

余初識夢機在戊申歲，時甫就讀大學三年級。一日，袖所業詩趨謁　雨盦師請益，一客先在座，　師爲介曰：「此當世葩才，騷壇新俊；亟宜交遊。」目之，則平頭豐頷，體碩聲洪，指夾一菸，吞吐自若；殊不類向所謂詩人者。迨聆其言，娓娓縷縷，深得三昧；索覽余作，點撥一二，復中肯綮；遂訂交焉。自是，洎君謝世，四十三年過從無間。風簾茗鐺，數添水厄；雨窗几榻，頻揮譚麈。澄潭攬月，疑李郭之同舟；名園賡韻，猶韓孟之聯句。或數日未覿面，則徬徨焦慮。嘗憶某歲，秋霖兼旬，不得把晤，余奉簡長句，有「手足因之失安慣」語，蓋實錄也。余性孤介，兼不奈煩劇，故鮮交遊，其始終膠漆者，殆唯君乎？君則具燕趙俠氣，每急人之難，又心懷謙沖，和光同塵，故能與余異苔同岑，形神不隔也。

君雖慕豪俠，秉性則詩人也。白傅有言：「詩者，根情苗言華聲實義。」迺君者，情義實源於兩間，蚤積乎胸臆，聲言則自弱齡鄒公滌暄啓沃之，及冠李公漁叔陶鑄之、吳公萬谷點化之，由是而詩人之具備矣，以是而詩名遠播矣；然或一間之未達。蓋君寢饋有年，階義山之密麗，窺少陵之沉鬱，復參以山谷之句法，同光之體氣，格老法密，謂之有成，誰曰不宜？顧斯時也，每樂槃遊，耽酬唱，故所作常不免於冉猛之客氣。迨乎知命之年，遽罹風疾，口瘖足痺，困頓於藥裹輪椅者幾二十年，往日歡悰，都成幻夢，一燈弔影，萬感揪心，於是乎蹊徑俱泯，華藻浮辭，盡皆刪削，哀樂由衷，聲言情義純乎天然，而真詩出焉，而君詩乃戛戛乎超軼於群倫矣。於此言之，君之詩蓋天賦以才，人啓以學，而命遭以遇也。苟非天賦人啓，則其具未備；苟非命厄遇蹇，亦難造乎斯境也。余嘗謂其：「纏疾經年詩格成」，其斯之謂歟？才命相妨，自古云然，造化所致，非可求，亦無可避；雖於是有所樹立，亦可悲矣。

猶可言者：臺員詩脈，自明末沈斯庵以國變隨鄭氏東渡，創東吟社，張幟東南，與中原諸大家抗禮，吟風斯扇。三百年後，神州陸沉，國府遷臺，蹈海詩人復如過江之鯽；異代蕭條，皆以騷辭抒其幽憤。當時「名家如雨，佳製如雲」，李吳二公，即其中英彥。君詩所謂：「三十年前佳製多」，正謂其時也。洎老成凋謝，繼踵者誰歟？君來臺時雖甫髫齡，及長猶及禮謁，並蒙沾溉，遂能挹芬傳馨，酌源分流。又頻年都講上庠，提掖後進，交接勝流，駸駸乎建宗立派，儼然祭酒。於此言之，君能扶風雅於不墜，樹偉業於騷壇，又豈非天予之時耶？是又可歆可羨者矣。

君述作豐贍，論著如《近體詩發凡》、《思齋說詩》等，度人金針，示人津筏，足可窺其詩學之堂奧。至於詩集，溯自己未，年過而立，即有《師橘堂詩》、《西鄉詩稿》問世，並以此獲「中興」「中山」兩大文藝獎殊榮。臥病之後，吟詠不輟，數量又倍蓰於前，以《鯤天吟稿》、《藥樓詩稿》等近十種刊行，都千餘篇，猗歟盛哉！顧諸集之外，尚有賸稿，或藏諸篋笥，或刊諸雜誌，或投諸友朋，零縑碎墨，彌堪珍寶。捐館以還，門生故舊懼其散佚，共議蒐爲一集，曰：《夢機集外詩》，付諸剞劂，永保老友素業於天壤，隆情高義，可銘可旌。董其事者：楊君維仁、李君正發、李君佩玲、張君富鈞，而由賴君欣陽總其成；以余誼屬舊雨，囑序於余。雖慚蕪陋，焉敢辭讓？方期屬稿，翻檢遺集，悵憶前緣，故人謦欬髣髴燈前案側，不禁淚綆淋浪，舉筆維艱矣。悲乎！甲午臘月陳文華謹序。

淡江大學中文系教授　陳文華

夢機集外詩

目次

藥樓集外詩……七五

鯤天臏稿

閒適

安穩溪山托此身，斜陽庭樹鳥來頻。怕吟石鼓難終句，但對瓶花便是春。
狎客偶邀耽博塞，清詩閒詠認朋親。端知一事差堪慰，足蹶無須走世塵。

光亞詩老九十嵩慶二首

湖湘耆老是儒醫，餘事還成一卷詩。仁術仁心天錫福，遐齡定要到期頤。
醫界文場海內名，鄉閭族姓有光榮。南山萬壽同稱祝，絳帳家風遠近聲。

詩題，馬鶴淩丈來函爲其叔九十壽索詩，因奉寄二首。

昔游十二韻

摶扶萬餘里，殘暑下臨杭。閒取西湖水，涼於北海霜。六橋連柳色，三竺映荷光。茂樹尊坡老，哀弦唱岳王。鳳山張翼遠，龍井沏茶香。靈隱寺鐘落，錢塘江浪狂。醋魚供夜讌，麥酒沃吟腸。數日盤桓暫，離襟鬱邑長。彩圖曾屢見，宿願得初償。鴻墮才留迹，駒奔復脫繮。足今憐卞氏，諫昔效潘郎。舊夢賡仍斷，沉痾惋且傷。何當為騄耳，東浙再騰驤。

詩題，記昔日游杭，有感而作。

編案：此詩亦收入《藥樓近詩》中，然字句稍有異，存此以見夢機師推敲之跡。

寒　夜

俯看燈下煢煢影，愛讀書中戚戚詩。冬服已添知露冷，釅茶自沏答眠遲。

詩題，體製「前對後對」之七絕，當以杜詩「兩個黃鸝鳴翠柳，一行白鷺上青天」絕句爲其初祖。

耶誕夜口占　憶四十四年前舊事感作

瓦鉢花開一品紅，前塵都在此花中。不知人面今何處，耶誕歌聲繚夜空。

定西夜過

宵寒值初臘，語笑共消磨。今覘文山月，曾聞瀘瀆歌。
乾坤尋邑遠，經貿耗神多。縱有飛騰意，何堪髮已皤。

編案：此詩亦收入《藥樓近詩》中，然字句稍有異，姑存錄於此。

瀛洲述事

慄冽寒流襲海涯，瀛洲城郭雨絲絲。上官嘴快誇浮議，大賈金多把美眉。
強力拔樁爭未已，誑言退稅固堪疑。紅塵亂象今為烈，南邑黎元懵不知。

除夕口占

蓬嶠棲遲久，明朝歲又新。一言銷客恨：「我本此邦人」。

詩題，除夕，此指癸未臘月晦日。

夜晴　七古

夜幕初垂歇驟雨，清月半規翳復吐。春風樓館明燈前，懷舊茶新如潑乳。
青衿才雋健華雄，壯歲詩文課辟雍。老來抱病忘寵辱，早信槐安夢是空。

感時篇

晴光淑氣籠鯤濱，邇來一閏增芳辰。填膺孤憤忽迸裂，直塞寥廓橫川陵。
金援海外呼凱子，百萬擲去同浮塵。紫微卜筮認天命，道觀梵宇繁如燈。
股風可辨諳內線，盤勢高踞惟夫人。陸離島上多亂象，燒殺淫毒一一陳。
農漁教席分怒吼，其聲貫耳疑雷霆。大湖押貸吏貪墨，叔世風氣澆非淳。
迷離陳案已開豁，中樞硬拗猶欺民。揣摩上意選委會，決策反覆蒼黃頻。
一衰至此餘感慨，狂瀾欲挽慙何能。擬迴末俗須戮力，瀛洲待葆千千春。

讀花延年室詩　維仁弟寄贈先師詩集讀之淒然

燈下重溫八卷詩，吐詞雄秀運精思。幽幽一隔師門遠，猶憶寒宵問字時。

花延年室詩，凡八卷，爲先師李漁叔教授所撰，其詩殆如曾履川所謂「寓雄摯于婉約，納悲咤于芳惻」也。

病後

移家村郭十年強，泡影功名久已荒。燉肉宜參龜甲萬，嗅花稍勝馬蹄香。
雙魚緘得來詩好，眾軫奔將去路忙。除卻賡吟披卷外，憑軒遠眺晚山蒼。

記碧潭

柔櫓弓橋下，搖晴泛大艎。春收半潭霧，秋載一篷霜。
沙岸青篁滿，崖亭綠茗香。記曾邀莫逆，臨水共銜觴。

耕莘加護病房口占三首

口噤難言插器長，膽生結石使胰傷。世情不許多臧否，端合冷眸觀四方。

來何急遽去何忽，生死都懸一霎中。人命於茲無貴賤，管它皁隸與王公。

夷曲清柔緩助眠，殘宵猶得夢闌珊。無端冰枕生寒氣，人在霜天雪地間。

梅梅曲一首

紅袖閨中寂歷陪，歌聲裊裊入雲回。十年嫁作臺瀛婦，舊業那堪久已灰。

風采都為血染成，清歌唱出綺年情。而今玉貌歸遲暮，荏苒流光百感生。

賈梅梅，吳人，嘗居穗二十餘年，善歌，爲大陸一級聲樂演員，後遠嫁臺員，今且十年。

秋夜

一抱沉綿意，壁燈相對愁。遠招荒嶺雨，來濕小城秋。
賡詠烹新句，支頤溯舊游。不眠依短榻，閒適坐重樓。

甲申七夕

秋至逢佳節，雙星度鵲橋。終年分袂久，此夕積愁消。
已勝離人苦，何辭銀漢迢。吾妻早化鶴，不晤到今朝。

三疊韻再寄稼老青潭小閣

移家住山麓，閒適不言愁。遠憶青潭月，飽看新店秋。
賡詩知古誼，沏茗記前游。何日生雙翼，飛臨景勝樓。

閒適

郭外郊居托此身，斜陽庭樹鳥來頻。曾經潭碧閒思楫，莫對楓丹誤認春。
一顧溪山歸畫本，兩忘窮達作詩人。端知餘憾差堪慰，足蹶無須走世塵。

編案：前所錄〈閒適〉詩，詩中之句有與此詩略同者，然意趣稍異，兩存之。

閒言

廟堂硬拗豈堪聽，黔首鯤南不識丁。恐作他年覆巢卵，何如披剃拜禪經。

回溯　六疊戎老韻

回溯鯤南夕景昏，春風衚巷記題門。未知人面歸何處，賸對桃花竚不言。
數載才堪銷夢影，孤心無復念眉痕。舊歡縱有前緣在，那抵茅台酒一樽。

北縣端午聯吟不赴

琳宇莊嚴迎眾客，蒲觴分飲缽聲催。哦詩同媚青溪曲，引興遙連翠嶺隈。
高會聯吟歸想像，沉痾廢足失裴回。登臨縱有掄元句，那抵芸窗茗一杯。

病中獨夜

茶煙輕颺作圖形，久病真憐髮已星。口訥何能答蛙鼓，足殘惟是守螢屏。
慵披一卷閒無賴，靜養雙眸倦不醒。鄰笛偶然吹折柳，憑軒默坐再三聽。

藥樓酒集

餉午來知友，歡虞聚一堂。偶然耽博塞，聊復共壺觴。
悟道尊莊子，論才話庾郎。紛言護漁事，不覺已斜陽。

詩題，某日晌午，昭旭、文華、崑陽、建民、幸福、瑞騰諸教授，來集予舍，共杯酒之歡。

閒居

篁竹猗猗多勁健，缽花裊裊自婆娑。十年卜宅雙潭側，只聽溪聲髮已皤。

名模返臺

青郊墜馬九州驚，扶病歸來萬履迎。戍海何須要軍購，且憑紅粉壯蓬瀛。

名模，著名模特兒之省稱。

憶鵬奇將軍

早投虎旅晚盟鷗，叔世端宜戀九幽。記得將軍舊詩句，兩湖奇氣一江流。

七　夕

盈盈一水鵲橋秋，此夕雙星願已酬。吾與亡妻終不晤，紅塵遠隔夜臺幽。

國璋燕青歸後

客去沉思得句遲，語禽來慰寂寥時。重溫五十年間夢，惟有秋聲是舊知。

詩題，畢國璋、王燕青二君，為余五十年舊識，今皆過花甲，垂垂老矣。

病中

山麓移家托此身，慰吾沉痼鳥來頻。藥鐺細煮流離夢，詩卷平收浩蕩春。
偶喚故人閒話茗，稍堅晚節遠看筠。多年蟄伏甘殘足，免向潘郎學拜塵。

再次前韻

閒坐何堪久病身，花時換酒典衣頻。寺雲不隔朝來磬，江水猶穿雨後春。
端合清吟歸楮墨，還將雅興寄松筠。陽明聞說風光好，萬本紅櫻下灼塵。

施惠游張家界歸二首

萬里摶扶到此間，湘西形勝對芳顏。奇巖大壑行都遍，換取花時疲憊還。
峭壁恢奇疑鬼鑿，亂峰出沒詫神鎚。山形跬步即殊相，都向眼前奔赴來。
倦旅歸來興尚濃，湘干澧水記游蹤。張家界廣九千里，第一難忘天子峰。

坐雨聞洒翁病二首

手沕傳來病訊遲，半身不遂繫吾思。雨狂那管公孱弱，猶是聲窗勸賦詩。

彌天陰晦雨來狂，淅瀝庭前濕晚涼。我與洒翁同一病，身殘堪拒應酬忙。

張大春初安民過訪

從容聯袂過樓舍，沏茗論詩興未闌。山色十尋鄰座側，禽聲三月惜春殘。

摛文名在青雲上，甄稿才如碧海寬。試問何當塵務了，看花來此共杯盤。

禮佛　古絕

沿鐘到禪門，梵香禮寶殿。人來皆乞求，只恐神亦倦。

薄晚　古絕

日腳下平陸，落霞映叢竹。看山憑檻多，稍覺雲已熟。

記中大 拗絕

不倦授業興，傳詩何畏勞。吟哦聲裊裊，十里答松濤。

碧潭 今絕

水是無情碧，橋如已霽虹。曉來柔櫓動，欸乃遠隨風。

郊城首夏

薰風晌午此城幽，默念前賢坐藥樓。季布心中堅一諾，郝隆腹內貯千秋。
看山詩奪遠嵐至，沏茗袖令微馥留。倦養雙眸憑小盹，或能有夢到湘州。

記中橫

峭壁恢奇疑斧鑿，伏巒渾亂歎天工。隨車峰岫紛高下，寢獸峨冠入眼中。

三疊韻奉寄戎庵詩老 改作

廉直從來最辱身，儒冠孰料誤人頻。披將經籍甘違俗，謝了林花已逝春。
我是翦心籬下筍，公為搖月嶺前筠。寸苞曾乞南風力，猶盼淩雲迥出塵。

四疊韻詠梅 酬佩玲女弟

綽約清姿十里身，記從嶺陸認梅頻。縞衣不與櫻爭色，丹靨能為雪寫春。
偶夢孤山傷久客，欲歸解谷伴修筠。寒花縱使辭柯下，仍有暗香生垢塵。

默坐 四散

煮水銅鐺魚眼生，沏茶閒坐背簾旌。恩仇病後都飛去，愛聽啼禽喚小名。

午寐初起作 前對後散

魂去四圍皆嶺樹，夢來一割是溪雲。濃陰簾外人初起，卓午螗蜩偶一聞。

閒適 前散後對

裁箋隨意寫黃庭，偶亦耽閒讀墨經。坐久杯銷釃茶碧，階空鳥啄嫩苔青。

端居 四對

風竹猗猗多勁健，缽花裊裊自婆娑。久居山麓身猶病，愁聽蟬吟髮已皤。

春興

不是夷齊亦食薇，風光撲面興無違。連朝山貌因雲秀，一夜溪身得雨肥。
真感陶潛詩跌宕，漸知李耳道深微。剪春燕子多情甚，惟見銜泥兩兩飛。

答故人問

病來無復計三餘，竹塹多君問起居。錯落夢痕春枕枕，參差花影月梳梳。
浮嵐送爽朝搜句，釃茗分香夜讀書。清暇當軒閒眺遠，不知何物是璠璵。

養拙

郊城堪養拙，楮墨送年華。文慕眉山筆，杯分普洱茶。
詩聲潮外雨，病影潦中花。披卷依燈坐，雙扉閉眾譁。

淹留

瀛洲傷客久，家在楚雲西。抱病身猶贅，還鄉夢欲迷。
胸襟同海闊，詩興與天齊。莊老重披讀，餘生効阮嵇。

端午

五日螢屏上，龍舟奏凱音。遙思三戶地，尚抱九歌心。
魂沒汨羅水，名高華夏岑。靈均應有憾，讒佞到如今。

贈顏崑陽教授

袖攜蒼海氣，莫逆自東來。烹食易牙手，論詩嚴羽才。
貨非貪白璧，性不拜黃埃。書帙堪消夏，端宜取次開。

重晤作家張大春即贈

書種將稀合自矜，詞流一脈總相承。詩才惜被鴻文掩，口譽都隨鳳藻增。
回溯青衿交蓋始，孰知白髮話茶曾。憐君壯歲身猶健，大嶽何妨次第登。

慶煌教授惠詩次答

茗飲欲消胸底俗，詩來渾似和闐玉。芸窗吟罷興遄飛，坐對重山千載綠。

端居十二韻

卜宅依山麓，賡詩日以娛。疏鐘飄樹杪，重嶺壓樓隅。
蝸字書秦篆，雨聲歌蜀歟。頗思春斸笋，還欲夏芟蕪。
邀客歡虞洽，論文鄙吝無。汲江同沏茗，圍席偶呼盧。
玄髮如霜白，蒼顏借酒朱。飛吟頻狎鷺，遯世不關鱸。
未羡鵬摶海，甘為鳳在笯。聲華非趙璧，材質豈隋珠。
十丈鄰前壑，三更夢後湖。回思童稚地，重檢秣陵圖。

雨後閒情 二疊韻寄佩玲女弟

落寞生涯守戶庭，簷牙啼鳥勸披經。虹銷雨默閒無事，山色飛來一抹青。

偶感

廟堂貪腐失官箴，相挺黎元竟昧心。既憾人無是非念，何妨閒坐聽鳴禽。

壽雨盦師八十

蒼溟曾記見揚塵，八秩依然灑脫身。米芾工書才亦大，陶潛好酒性尤淳。蓬嶠溪壑填胸闊，竹篋詩文積稿珍。祝嘏堪嘆艱跬步，侯芭遙晉素醪頻。

聞蟬

居高傳嘒嘒，晌午以風和。叫破江南夢，離愁合更多。

夕歸

輕車行有翼，逆走市樓飛。潭碧崖亭直，霞紅客棹稀。
鄰村一燈遠，寒舍四山圍。薄晚庭中樹，喧隧眾鳥歸。

閒適 三疊青韻

高軒從不過前庭，賡詠多於拜佛經。記得先師舊詩句，門閒徐補破苔青。

慶煌教授寄〈罄竹難書〉詩次韻

一姓榮華萬姓窮，股風默與廟堂通。官衙貪瀆心何穢，檢署趨炎罪自空。
真感礎摧難立廈，從知物腐必生蟲。連天陰晦愁無已，雨霽誰為飲潤虹。

孟秋感事 次大春韻

一城風雨晚蕭蕭，愁緒都隨茗氣搖。刀布無端為碩鼠，廟堂真感是饞貓。
黎民坐地心生火，白屋呼天淚似潮。跛足元戎猶戀棧，貼身那管火苗燒。

夢斷

夢飛海外到金陵，乍被滂沱雨吵醒。淮水難流千古碧，鍾山仍峙六朝青。
回思竹馬嬉深巷，重溯荷花擁畫舲。往事年遙餘悵惘，堪歎今已髮星星。

施惠初游灕江代賦

桂林形勝入望收，灕水行船接俊游。群岫堆成千古秀，亂蟬叫破一江秋。
平隨野色心何遠，幾變風光景更幽。陽朔去茲才四里，樓亭默想興悠悠。

閏七月即事

半昏群嶂夕陽沉，窮達都忘鶴髮侵。話到官箴生萬慨，搜將塵網助孤吟。
功名無夢通槐穴，疾病多愁臥杏林。一閏增秋今白露，蒼茫暮色氣蕭森。

佩玲維仁正發來視疾作

諸生聯袂至，同謁杏林秋。稍解論詩渴，堪銷抱病愁。
清言霏玉屑，歡笑勝菱謳。一勺分吾輩，曹溪活水流。

佩玲女弟贈蘭

蘭花一缽寘前廳，清秀容顏淡淡馨。倩影真堪陪老病，秋風窗下暖心靈。

賀梅庵丈八十一雙慶 改作

老梅當臘有虬枝，高壽依然健鶻姿。八秩又增新歲月，一生不負舊詩詞。
飯香茶暖窮經後，筆秀燈柔習畫時。婺極雙輝臨碧海，鷗朋祝嘏晉吟卮。

臺員

孰云塵網事尋常，慣以詩文記數行。八月南投萬櫻發，一秋北港眾罏香。
梨山高插白雲上，蘭嶼獨浮蒼海旁。四合煙濤天下秀，蓬萊溪壑好風光。

初霽 四疊青韻

蕭蕭雨歇謐空庭，坐讀南華幾卷經。把茗窗前閒眺遠，清詩奪得晚山青。

懷定西上海

青衿稱莫逆，白首惜離分。人隔西邊峽，心隨北上雲。
君期拓經貿，我愛撰詩文。所遇雖相異，同應慎且勤。

老歌

鍾山春一曲，聽罷暗淒然。勾起髫年憶，後湖花擁船。

《古典詩刊》發行兩百期紀念

風行多歲月，蓬嶠卓吟旗。付梓三千字，刊詩兩百期。
觀摩生逸興，警策見精奇。所願憑騷雅，同將末俗移。

九九紅流

眾呼倒扁似雷鳴，靜坐街頭舉戰旌。凱道紅潮來有勢，孟秋白雨落無聲。
元戎貪瀆應為恥，廟策求廉不見誠。拇指下垂民十萬，滿腔怒火與天爭。

維仁佩玲夜過

夕陽下虞淵，薄暮晦平陸。二妙攜秋來，酒食堪飽腹。清言同話詩，歡笑忘寵辱。飯罷猶披書，沏茶微生馥。維仁句穩妥，其意亦脫俗。擊缽嘗掄元，諸事悉可錄。佩玲擅才華，吐語似琴筑。墨迹秀且娟，貽吾字一幅。汝輩漫相隨，端合慰煢獨。以詩乞推敲，潤飾使圓熟。流宕論裁章，頗類山起伏。烹鍊宜反常，奇趣在心目。閒暇時見過，日久誼何篤。宵深人始歸，出門星如粟。

服膺 七古

高風早慕子陵釣，事過千載欲同調。不屑功名惟愛閒，老病豈畏萬夫誚。
端居寂謐雨潺潺，養拙生涯髮已斑。章脈流宕句跳脫，詩家服膺李義山。

陽關曲三首

郊　居

寫經端合寫黃庭，釋學觀空悔有形。郊垧花竹屋廬好，詩卷平收山色青。

秋　夕

秋風八月桂香濃，樓舍窗虛冷未縫。初更燈下一甌茗，弔月猶聞清夜蛩。

薄　晚

缽中火鶴炉丹霞，群岫飛來晚更嘉。與詩誓海勿相負，扢雅吟風心不邪。

崑陽明娳過話

茶邊偶話及，二妙舊時書。鳳藻荊山玉，鴻文魯地璵。禽聲答歡笑，樹影撲閒居。晌午秋陽暖，人歸健鶻如。

漫題二首

恥求聞達是人豪，琴到無絃品自高。詩法遠祧唐李杜，才華尤慕魏劉曹。

偶烹湯鼎知漚幻，乍厲天陽忍火熬。漸會屈平心緒惡，風簷披卷讀離騷。

朱樓不動落陽深，老去蒼顏白髮侵。微命風飄秋一葉，故園峽隔浪千尋。
血糖初降助治腎，黌舍好諛真穢心。臥室當軒甘寂謐，看雲舒卷任晴陰。

岑寂

銅鐺閒煮養肝藥，缽裏火鶴紅灼灼。當軒依榻鄰青山，涼露金風秋蕭索。
簾邊沏茗洗心源，篁下叢笋開新籜。乍驚簷牙換鳴禽，足廢久誤游湖約。
流年十五彈指過，口訥身殘命何薄。庭前真感車轍稀，烈酒早是罷斟酌。
比來貪睡懶出門，塵世路有羊腸惡。連宵賡詠倦弗知，頗欲曹溪分半勺。
平居寂謐惟聽歌，偶亦邀朋縱一博。乾坤印刻須詩文，供稿不斷樂復樂。
披書以外看螢屏，除此浮生將安託。堪憐攬鏡鶴髮多，老去蒼顏已非昨。

圍城

細雨螢光百萬人，紅衫一片映秋燈。六年貪墨心何穢，似此元戎見未曾。

贈厚建詞兄　工書亦能詩

詩書雙慰寂，連夕夢雄州。濡墨工程隸謂程邈，裁章詠鄭秋。
才高聲自遠，交契味相投。何日堪重晤，歡虞共茗甌。

餘　生

海角浮沉莫浪驚，餘齡心迹託雙清。青衿在昔詩文顯，白髮於今老病呈。
漫讀隋書傷大業，偶披明史話崇禎。流光五紀如過雨，回溯前塵淚欲傾。

辟雍憶舊

秋風樓館夕陽沉，閒坐無端往事侵。少日徒存千里志，上庠真穢十年心。
耗神經史看都遍，託意詩文撰以深。古誼醰醰多莫逆，相知如聽伯牙琴。

秋日雜詠五首

薄晚秋氣增，落陽沉光彩。人生變幻多，如看浮雲改。清暇甘裁章，暮齒復何悔。殘疆饒戰碉，師老猶戍海。叔世淳風銷，寧忍罪真宰。

罹疾當知命，索居久離群。煮水燙芹筍，登盤忌羶葷。回首憶紅粉，頷手謝青雲。看山沏茶坐，披書墮秋芸。閒適驚晝短，憑牖送夕曛。

才不如陸潘，詩不及徐庾。平生好賡吟，所學在千古。流宕李玉谿，沉鬱杜工部。觀摩宋江西，同光偶亦睹。諷詠四紀過，無奈愚且魯。

海州棄井翁，乍驚已鶴化。原路一柩歸，聞之淚如瀉。塵網羅羈魂，歿世幸寬赦。公昔擬杜詩，規摹亂真作。今日重吟哦，撫心足悲吒。

宵深啟音盒，枕上聽歌頻。悠揚漁家女，宛轉陋巷春。約堡遙在憶，芎林願卜鄰。聲柔尚搖寐，月斜欲窺人。曲終屋寂謐，樓外秋蛩呻。

丙戌中秋

秋節寥廓天，雲破月不死。遠眺白玉盤，低頭憶桑梓。子媳坐圍燈，語笑共相喜。銜杯飲黃封，烹來大河鯉。飯罷剝柚香，棗餅色如李。盪耳傳歌柔，琴笛含宮徵。披襟話前塵，釃茗銷吝鄙。何須清光多，嬋娟藏心裏。

秋日雜詠續四首

前游溯履跡，尋詩到杭州。六橋波光晚，三竺雲影浮。熏風隨畫舫，吹得西湖幽。昔從輿圖見，今與烟水謀。蘇堤柳絲碧，都付吟卷收。

甫從九州回，訪兄視疾了。杏林秋燈明，一瞑乍昏倒。壯歲罹頭風，所幸施診早。足躓驚身孱，口訥不能道。沉痼十五年，殘贅自愁惱。

黎元百餘萬，天下圍攻成。雙十呼倒扁，聲宏似雷鳴。絳衫軍容壯，蜿蜒巨龍行。廟堂與官邸，衛戍拒馬橫。一曲紅花雨，高唱滿鳳城。

圓月明郊坰，閒居養痼疾。社前有修篁，截取為觱栗。欲吹水調頭，
弄影喚蘇軾。軒廊掬清光，伍仁膩如蜜。何人共嬋娟，對之溯舊憶。

看山

莫購松江鱸，不沽大閘蟹。樓前眾山青，何須一錢買。

秋日雜詠再續四首

中風十餘秋，多病等懲創。通脈心導管，割膽莫名狀。胰島紛施鍼，
血糖驟以降。去回杏林頻，所須上藥養。新來功能減，耗神在腎臟。

樓扉閉秋風，車來訪寒舍。潮州師與徒，分坐燈影下。語笑同論詩，
騷壇誰英霸。憐吾久沉疴，媿金作慰藉。趙璧兼隋珠，不及誼無價。

摶扶九千里，游衍到秣陵。石城終王氣，鍾阜龍蟠陳。煙水千載月，
鶯花六朝春。南都大江闊，潮語說廢興。多有懷古意，臨眺何逡逡。

墜地錦里秋，六秩一回首。髫年恣嬉游，竹籬以外晝。川巴魚稻豐。
形勝多衆岫。青城道氛濃，峨眉世間秀。詩人半入蜀，吾竟得天厚。

疑遭一首

疑遭真宰薄施懲，消渴隨身病有徵。國事堪憐秋一葉，家謀已嘔血三升。
臨軒坐久山都熟，攬鏡看多貌亦憎。未使涓埃答吟苑，至今猶媿讀書燈。

回　湖

禹甸當年接俊游，燕京勝迹秣陵秋。都將古邑湖山色，釀出胸中一片幽。

秋日雜詠三續四首

黌舍十載餘，交契多莫逆。王黃通史經，兼亦博篇籍。蔡邕篤於學，
曾參步聖迹。陳子尊少陵，顏君擅白石。玄髮今蒙霜，流光詫一擲。

知己罷頭風，晴昊驚霹靂。少日歃血盟，憑陵動筋力。拋書去從戎，威武人怵惕。嗜酒到暮年，月必復來覿。沉痼誤汝身，語笑何處覓。

閒暇睹螢幕，偶能豁心胸。嵯峨唐宮殿，壯盛清軍容。八方騰光怪，尋奇到堯封。漢江大峽谷，綿麗山川雄。臺員愛恨劇，堪歎軟無功。

數點才濕燈，秋宵淅瀝雨。樓外惻惻寒，簾垂扃門戶。微倦歸匡牀，不眠憶京滬。殘句攜入衾，推敲作小補。寂謐萬籟沉，臥聽蛩吟苦。

秋興

一鍋燙食愛芹蔬，秋日晴窗讀說郛。游屐猶能歸禹甸，吳中先釣季鷹鱸。

浩園

坐眺閒庭六十弓，菊黃籬下槭初紅。禽聲何處被風力，晴晝吹過秋圃東。

創刊十年乾坤詩社屬作一篇

蓬萊卓吟旌，已歷十寒暑。既築新廣廳，不廢舊廊廡。町畦早全消，何嘗限門戶。又如明妃出，衣飾驚楚楚。鼓旗壯騷壇，此間誇媚嫵。耕耘歷十年，乾坤倡詩旨。翰墨一萬篇，吟哦三千士。淳風扇末俗，欲呼黃魂起。菊花傲清霜，荷蓋出泥滓。願憑扢雅力，揚名光書史。

秋日雜詠四續一首

鷗朋集寒舍，重陽已秋深。銜杯飲綠蟻，洗手剝紅蟳。菊花插頭滿，竹聲勸飛吟。登高災難避，久客石作心。讌罷歸去晚，西風助蕭森。

鹿谷新芽香，瓷杯貯釅茗。啜來洗離腸，百斛愁已盡。臂膝歎早衰，老病俱可憫。頃者披唐詩，擬杜丹青引。三載少出門，漸覺才愈窘。

獨夜

聞曲翻增落寞愁，嫩寒天氣坐重樓。桂華流巷三更月，篁影搖窗一院秋。
古籍閒披還自讀，腐心初驗是誰羞。茶來普洱微生馥，漫引遐思到九州。

即景

薄晚前灘外，炊煙十數家。櫓搖驚水鳥，飛起入蘆花。

秋日雜詠五續二首

至尊失官箴，攜內共貪腐。珠寶潛貯囊，吞錢似豺虎。檢方斥其誑，
誠信欲何補。幸見頑雲開，明月翳復吐。邇遐遍清光，黔首紛起舞。

詞客東墩來，貽吾普洱茹。披襟話裁章，詩興得所遣。其才似初月，
漸覺光已顯。暮年臥窮門，性本棄軒冕。人如天際雲，隨風自舒卷。

樓舍夜寂寥，愛聽周璇曲。裁箋寫秋光，多媿才不足。仰首看繁星，倒栽一天粟。追夢髫齔時，採擷錦里菊。何物為功名，澹然非所欲。

拗救補述 編案：以下三首示例

秋夜客過

客至成良覿，茗分龍井青。疑為萬畝粟，原是九天星。燈下傳花馥，吟邊話性靈。一樓同語笑，襟抱各如溟。

藥樓長句

陰晦彌天夜色初，蝸居寂謐少清娛。秋風真感教憶膾，寒雨猶聞邀飲觚。病驥老來甘伏櫪，淵驪睡去恐遺珠。沏茶普洱加杭菊，能慰燈前弔影孤。

雙　潭

小渡船家半夕曛，頻來多恐水禽嗔。欲裁一片遠嶺碧，補作雙潭三頃春。

孟冬雜詩二首

二妙訪寒舍，同攜朔氛來。剖詩話句法，啜茗分瓷杯。歡笑答啼鳥，
缽花廊外陪。知非釣譽輩，將是驚世才。鄰山不十丈，繁青照樓臺。
游踪到燕陝，覽古記昔曾。兵馬秦墓俑，十三明帝陵。長城曲如虬，
雁塔危可登。嵯峨故宮殿，錯落關中燈。前塵一回溯，不覺詩興增。

花城小築偶作二首

斜陽掛樓角，呼軫過碧潭。曾邀誰游此，騷人蜀戎庵。崖亭共沏茗，
論詩話滹南。橋下舟泛泛，岸邊柳毿毿。今已雙足廢，追往百不堪。
閒居枕山麓，薄寒一樓風。嶺翠來座右，菊黃傲籬東。披卷銷晝短，
賡詠愛句工。偶爾耽博塞，久已忘窮通。茶皺支默坐，遠看落陽紅。

母壽將九秩，星輝寶婺光。登盤見魚豕，祝嘏還稱觴。燈筵共語笑，書樓暖冬芳。慈闈樂音響，萊衣舞袖長。但願人久健，百歲無病創。

次韻羅戎老出院詩 二首擇一

公罹沉痼實堪哀，詩薄昌黎有儁才。藥石欣聞今奏效，且為騷雅一銜杯。

歲寒述事三首

北高決戰罷，郝陳各拔旌。雄州護貪瀆，千票奪寵榮。黔首失公義，何物為廉明。無視汙穢事，惟重本土情。殘疆客子淚，流恨到海鯨。

結廬玫瑰城，多病宜止酒。白髮甘棄名，青雲懶招手。閒適對缽花，憑其笑老醜。韶齡到中年，崇山多游走。風雪合歡嶺，梅竹思故友。

呼軫穿郭外，去尋杏林冬。樓危殆百仞，診室何玲瓏。人潮雜遝至，浮動藥氣濃。九旬一驗血，體平冀有功。勾留午陽暖，歸路逆朔風。

讀毛谷風教授詩

樓舍寒燈前，愛讀谷風句。吟哦十數章，雅得游衍趣。檳城聽夷歌，揭陽禮孔去。碑林深圳宮，鳳穴香海賦。運思知剪裁，選字亦無誤。詩什照眼明，清詞澹吾慮。臨風最懷君，惜缺翼遠翥。多謝貽佳篇，頗能慰沉痼。

老懷

臘鼓聲催近歲殘，青衿夢好再尋難。一天風露篁仍碧，重嶺雲嵐橘已丹。鹿耳潮來驚暗湧，雍門琴在發哀彈。休誇老至身猶健，栗烈寒生臂膝酸。

閒言

行看蒼海發桑柔，黔首鯤南不識愁。恐作他年覆巢卵，風濤端合去乘桴。

冬至

乾冬至必濕過年，此諺確乎惟驗天。明晝長絲量日影，今宵圓餌暖心田。

耶誕夜口占

瓦缽花開一品紅，前塵都在此花中。回思五十年來事，除卻歌聲孰與同。

陽曆開春試筆

東來紫氣滿鯤濱，高鐵尚遭非駮頻。不管旁人說長短，車飆揚起大千塵。

江南記遊

禹甸曾游衍，江南似畫圖。燈千夜上海，橋六秀西湖。綰暑秫稜柳，搖晴陽朔梧。病前多少事，回溯慰心孤。

自戕

貧賤餘生覓衣食，縱橫老淚沾胸臆。全家何計了饑寒，燒炭終為一錢逼。

月燈

蘇州河上月，龍慶峽中燈。十六年相憶，怪來光愈增。

樓夜

茶煙輕颺作圖形，坐對繁花幾缽馨。衰貌那堪生鶴髮，殘身惟是守螢屏。
慵披一卷閒無賴，倦養雙眸暫不醒。鄰笛何人吹折柳，憑軒側耳默然聽。

旡藉先生惠詩賦此奉答

山麓移家過一紀，晝披書帙夜賡詩。庭前老竹寧無節，缽裏寒花尚有姿。
偶喚朋來沽酒聚，慣持茶釃答眠遲。多君手泐存高誼，篇什俱能慰所思。

次韻贈霍松林丈

早從高詠識真心，海外欽公渴仰深。能使紅塵鄭聲曲，化為白雲郢歌音。
燕山頻去雲都熟，閩水初過月亦歆。萬象奔來歸楮墨，遂令詩價重於金。

藥樓酒集

輕軫載寒聯袂來，黃封白截醉襟開。深情已被花猜透，雅抱且邀燈作陪。
據席主賓無貴賤，經年人事有歡哀。上庠夢冷松濤遠，高誼猶存共酒杯。

次韻寄永德弟

慣以金鍼授與人，鴛圖繡罷近初春。誰能喚雨滋梅竹，吾欲裁詩感鬼神。
貪墨官高心似鐵，養痾形老髮如銀。喜君涉夜過寒舍，達禮知書見性淳。

春曉　民國九十六年歲次丁亥

運轉鴻鈞歡薄海，孟春朝爽滿郊坰。霧遮十里村前白，春壓千重嶺表青。
鳥雀呼晴助幽興，詩文在卷慰餘齡。八方淑氣融花木，坐對何堪髮已星。

以筆墨硯代贈昭旭

海右惠來三寶全，端溪石硯墨松煙。贈君尚有羊毛筆，堪寫南華內七篇。

郊　行

郊坰曙日照花時，淡淡風輕小軫馳。一碧潭波堪洗硯，四青林壑好裁詩。
偶因遇赦心初放，真感尋幽力未疲。佃戶犁春翻土脈，插秧引水灌東菑。

讀鎮江近詩次答

緘札詩來訝不同，才高渾欲薄青穹。龍文疑得神君助，鳳藻堪增句法工。
縫霧裁雲歸卷帙，清塵除垢託吟風。早知汝有生花筆，積稿明於飲澗虹。

輓張仁青教授

雷劈一聲驚獨眠，悲君前夕斂桐棺。誼過四紀今初斷，名並三張昔共歡。
終乏妻兒哭靈右，不磨姓字在書端。平生駢儷休回顧，寂寞夜臺宜卜安。

藥樓賸稿

再記仁青詞兄五首

君字梅山，博士、教授，工駢文，以喉癌卒。

書種今憐世已稀，天胡又奪淚沾衣。無端勾起青衿夢，長記夜闌論辯歸。
四六堪稱第一人，雕龍手健黜浮聲。於今化鶴君歸去，鯤北溪山莫不驚。
駢文以外玉谿詩，講舍歸來月上遲。筍籜攢泥曾不剪，南風吹作竹參差。
上庠長羨著書勤，健筆凌雲善屬文。莫逆年來已嫌少，而君一歿又離群。
喉癌竟與死相通，原路桐棺一火空。駢體誰知成絕響，馬蹄音已遠隨風。

三哭仁青

前宵夢釁宇，新學捲潮來。復古氣何盛，論文懷更開。
溪山共游轂，詩駢各清才。久墜青雲志，今為一撮灰。

春分

平分晝夜自今始，默對軒廊憑眺時。花發愈增春寂寂，風過想見黍離離。
閒招山色歸詩卷，久訝雲痕入髮絲。聞道陽明櫻似海，足殘亦欲往游之。

花季

晴途車啣尾，游屐踏芳塵。聞道櫻如火，能燒半壑春。

兩岸

揖讓雙邊俟何歲，交流輒又築銅牆。撐天滬瀆三千廈，戍月浯州六十霜。
吳地沿湖多植柳，臺疆臨海忌栽桑。光陰七載看經貿，隔峽雲泥判已彰。

盛衰

青衿黌宇顯詩才，英氣真能撼九垓。鶴髮沉痾今老矣，惟將孤館閉黃埃。

寒舍

初陽樓館坐簾櫳，春氣晴光一笛風。盤舍鴿飛雙翼白，沿庭地種萬花紅。
慣攤詩卷收榕色，平眺山村愛竹叢。偶取坡公詞半部，驚濤閒詠大江東。

遐想

吳地當春暮，風光似畫圖。華燈夜上海，明月瘦西湖。
詩記留園秀，船過歙浦隅。今宵夢應到，鍾阜或姑蘇。

晚春

寸陰荏苒付流塵，又聽黃鸝喚曉晨。雨灑落紅堪洗地，山堆濃翠欲辭春。
十年世事滄桑改，一部風詩晝夕親。螢幕偶然閒坐賞，高歌催醒睡中人。

草山花季 改作

初陽大道聽鳴禽，萬軫尋幽淑氣深。半壑繁櫻紅勝火，一燒能暖賞花心。

讀楊著《柳園詩話》

吉光片語盡爬梳，矩度詳論信不誣。君輯乎言霏玉屑，吾棲於此揀金珠。
意全或謂容千里，文絜真當換十瑜。粲列篇章堪下酒，尊書故勝季鷹鱸。

炎洲長句

炎方無地可棲遲，此語雖哀固所宜。古調寖荒人亦棄，大言猶詆彼何為。
即愁黌宇文衰際，漸覺塵寰道喪時。宦海莫嗟牛李厄，燃犀燭怪好吟詩。

秋懷信發

上庠交蓋識君來，積學年深語亦該。偶以呰狂添霸氣，豈教博辯損雄才。
披襟耿介徐孺子，解字精微段玉裁。誰使愚蒙殉衰政，摛翰不用慰其哀。

次韻答小軍教授

腐草須憑雨露滋，如邀汝力酌吾詩。所嗟學陋才疏處，其奈聲稀句拙時。
病共愁生猶是贅，書因譽至最堪思。潮通兩岸存高誼，相與賡吟莫瓦離。

午寐聽雨

淅瀝都看萬矢飛，輕寒和雨透窗扉。寧教驚破秦淮夢，莫向江邊濕鷺衣。

韋帕來襲

挾雨中颱至，臺員遂釀災。橋封緣水猛，樓圮為風催。

編案：此詩或完就，姑錄以存疑焉。

八月既望作

天氣微涼節序更，重陰不放月光明。蓄眸親見積流湧，錄夢翻憐苦語賡。
秋已換禽徒易惘，事因指鹿恐難成。浮雲西北金陵地，猶記髫年竹馬聲。

靜居

不瘳沉痼久離群，養拙家居述作勤。事屬前游通寤寐，書為熟讀飾詩文。
芸窗歲月茶同筆，蔬食杯盤笋與芹。雙足仍殘口猶訥，功名額手謝青雲。

避世

避世真同馬失群，閒居清冷與禽分。摛文誰肯隨容甫，援筆人難紹右軍。
直待一塵飛碧海，要憑十盞醉紅裙。不用吟秋傷蹇剝，涼溫宜慎意須欣。

與友茗話

高屐從容過舍下，閒持秋茗話丹鉛。未歸湖廣嗟同命，早佩文章繼古賢。
所學惟艱吾憊矣，不疑何卜汝當然。試將夭壽論齊物，聽解南華第二篇。

長繩

長繩繫日信非真，荏苒年光迹已陳。每為逝川悲歲月，最於昨夜感星辰。
橫流愁對傷懷久，游屐回思觸緒新。憂患餘生歸慘澹，況吾飛動換酸辛。

秋襟

晝夕螢屏慰老懷，曾為痼疾損形骸。青衿在昔矜飛動，白髮於今戒詆排。
陋詠自慙才力弱，鄰樓誰擫笛聲佳。寂謐蓬窩閒沏茗，偶來莫逆共談諧。

藥樓秋集

陰晦彌天晝亦寒，此間朋聚一何難。盛筵每作杯盤設，餘興能為博塞歡。
海在胸中各矜學，山來激右莫言官。滿樓語笑安閒適，漫以詩文話杜韓。

鳳城紀事

拼將萬念付微吟，浮世憂危刻骨深。程顥難尋漲人慾，鍾期既逝罷琴音。
徒愁廊廟猶貪墨，早信鬼神能惑心。久客鳳城吾亦倦，蒙頭已覺雪霜侵。

病懷

寵辱渾如夢一場，事過似雨亦尋常。病來生死元何畏，老去窮通固已忘。
偶為披書讀山鬼，故於賡句協風篁。筋骸無力傷流矢，彈指俄驚十六霜。

薄晚偶感

黃昏一飯看過雨，近憶諸生請業時。稍就句型知跌宕，要從拗法了狐疑。
詩文耗我幸多暇，功祿疲人寧所期。筋力漸衰年已老，可堪心腎亦瀕危。

懷榮生詩老卻寄

杜甫詩能尊庾信，樂天文亦念微之。餘生命厄吾終惘，古調聲希汝所悲。
事往尚存心感激，年來還憫病支離。稼翁戎老都凋謝，猶待共擎吟旆時。

贈恭祖先生

故宮傾蓋僕同君，中歲賡詩晚愈勤。八秩又增新鳳曆，四方都慕老龍文。
知恩感遇心存善，握槧懷鉛氣吐芬。高誼隨潮通兩岸，臺疆禹甸不曾分。

藥樓漫題

殘碧當軒供剪裁，難忘功祿愧非材。一樓坐眺山相對，萬雨臥聽風又催。
大雅作詩寧飾偽，中颱掀屋便成災。聞歌無奈何戡老，唱出滄桑不盡哀。

述詩

何須唐宋嚴分塹，最是裁章愛杜黃。想以才疏失高妙，詩為學陋遂尋常。
放吟旨遠宜歸澹，吐語情真莫感傷。烹鍊成篇當自惜，他生毀譽恐難詳。

淹留

蕭然秋氣雨初沉，還復淹留近水潯。忽漫坐深成老輩，端為別久動微吟。
淳漓在俗猶能辨，寵辱於吾已不侵。多疾隨身患皆遍，所餘惟有向陽心。

晚秋示瑞騰弟

樓舍已涼秋寂寞，所懷此夕託孤呻。同將楮墨記哀樂，各就詩文通舊新。
汝職高如食黃□（編案：疑爲「笋」字，待考。），吾身廢似折青筠。雙連坡上飄微雨，共憶
松間淅瀝頻。

讀莊懷人

林子耀曾、黃師錦鋐皆授莊子於上庠，今一歿一重殘，思之泫然。

卒讀南華三十篇，兼旬掩卷尚欣然。已知濠上游魚樂，真感夢中飛蝶翩。
林子雄州衍家學，黃師淡水繼名賢。北南黌宇論蒙吏，此日回思淚欲潺。

曉　起

曙光徐動彌朝爽，釃茗回甘獨坐時。眾鳥喧豗直聽曲，閒身脫略欲裁詩。
當知萬事同過雨，何奈浮生似奕棋。忽憶故交潭上句，懷人不語祇如斯。

次慶煌韻寄兩岸詩詞筆會　大會在廈門召開

鷺江卓吟旆，賡詠百餘回。聯袂鷗朋聚，揚風鳳穴開。
溪山全入眼，溫李共銜杯。兩岸今融洽，寧非美事哉？

慶煌教授惠詩次答　詩中言及網路諸弟來此問字事

不是傳燈選佛場，言詩論法亦尋常。深涵學養眾難及，飆舉才思誰易忘。
直以諸郎為少友，敢云新笋變修篁。高吟慰我沉綿意，差喜菊殘猶傲霜。

寄懷永武博士加國　君所交于大成、王熙元、羅尚、沈謙皆前卒，故尾聯及之。

臺陽日月換華顛，閒坐相思臥榻邊。雙岸蒼溟疏鯉訊，一山紅葉迓豬年。
吾猶抱疾宜專壑，君已居夷早避賢。化鶴哀恫既難免，何妨心緒託丹鉛。

偶感

平生從不計窮通，懶慢慙無了了功。頗怪沉江屈原死，曾期攬轡范滂雄。
群書讀破真何益，直道消殘恐未終。猛雨乍來當洗穢，浮腔豈必念愚蒙。

故人輟詩

飽學使吾心久傾，惘然乍訝斷吟聲。棄才如此真堪惜，託足何方固已明。
古典早嗟為世鄙，餘年不屑以詩鳴。譬猶辜負青娥愛，換得花前薄倖名。

晚秋夜闌偶書

寂寞難為此夜心，老歌今作亂離音。繁燈在壁照披卷，往事掛懷攜入衾。
早信俗漓天已厭，從知世厄陸將沉。寂然萬籟穩霜訊，新月一鈎陪獨吟。

晨過浩園攝影將午乃歸

功祿應都付兩忘，扶輪到此迓初陽。一庭秋樹猶稱茂，九月幽禽更喚涼。
籬著黃花傲霜露，人多白髮感滄桑。攝成幻象將亭午，寒舍歸來沏茗香。

餘生小記

授業渾忘髮已皤，相濡能活轍魚多。功名此念為吾棄，憂患餘生奈命何。
老氣故應歸臂膝，秋光端合付吟哦。試從句法論烹鍊，要與鷗朋共琢磨。

憂　樂

樂而歸里陶彭澤，憂以投江屈左徒。生死名俱爭萬古，詩文情許換千珠。
懷沙一誦傷心底，飲酒重吟接座隅。披卷靜銷晴晝晚，自將釃茗伴秋蕪。

涼夜聞歌感作

汲汲流光喚不回，聞歌惟有夜涼陪。已教清樂歸絃柱，更浣愁腸倒茗杯。
淫靡往時知曲俗，亂離此日感音哀。無端勾起髫年憶，京滬琴笙逐耳來。

泝洄四韻

秣陵滬瀆笙歌簇，六十年來夢未銷。白髮漸疏人已老，蒼溟曾竭世何遙。
楓秋國裂嗟難補，梓里魂歸莫浪招。漲落心潮合強忍，不如風裏遠聽簫。

遣懷示渡也弟

山麓移家固似磐，年來止酒養脾肝。哀情因政心全死，溼病在骸天又寒。
屢以陳編廣吾識，偶於零楮了君安。才陋為詩宜有譬，驢蹇應知上阪難。

疊韻再寄恭祖先生

交契雙邊賴有君，東湖卜築讀書勤。五言汝繼王摩詰，三絕吾慙鄭廣文。
賡句宏才如海闊，探懷高誼似花芬。何當過舍同烹荈，菊影山光取次分。

鶴仁、吉志兩弟過話

寂寂樓臺烹茗待，言詩偶與話滹南。飛吟高接秦前月，吐語甜分楚上柑。
拙集重看共匡謬，陳編一讀尚回甘。裁章二妙兼才學，如紹機雲恐未慙。

贈治慶詩老

不讀尊詩半稔強，先生笑貌未能忘。吟秋卷納山川氣，瀹月杯分茗荈香。
往者令人摘膺憶，愴然為病舉家忙。憂危國事休相問，且眺霜前菊與篁。

臺中舊憶

東墩舊憶藏心久，此日重探髮已灰。早感沈郎筆猶健，還憐段某語多詼。
沏茶纖手燈波軟，傳道上庠篁影陪。夜市設攤沽酒食，十樽飲罷踏秋回。

夜坐不寐

隨風往事莫重尋，回溯前歡恐不禁。一念傷秋難有寐，三更弔月竟無吟。
人何孤孑心猶斂，夜正淒迷籟已沉。來日艱虞餘惘惘，自攜壺茗倒杯深。

朱樓月下

缺月半規掛樓角，貪看博得夜眠遲。清光照菊原多露，寒氣將秋漫入詩。
弦望猶堪彈指見，盈虧不待轉輪知。樂哀一晌尋常事，何用探懷特地思。

薄晚

薄晚回巢鳥倦飛，艱危歲月客心違。樓連秋氣猶侵袂，人愛山光不掩扉。
白屋雨過仍困厄，青蔬價漲亦招非。暮年最憶汪夫子，微此人兮誰與歸。

閒讀

陳編閒讀小樓東，游記慢詞俱以工。彭澤桃源春裏洞，屯田柳岸曉來風。
燈前披卷酬形影，紙上看山辨秀雄。回溯辟雍磨鐵杵，針成不負十年功。

無題

乍見又離時亦暫，天青海碧路何長。才庸詩以江山助，別久情於節序傷。
古籍四櫥今獨看，幽蘭九畹舊難忘。樓頭俄頃生明月，能起相思竟夕望。

歲月 寄懷定西上海

歲月堪驚付淼漫，橫流此日歎無端。輕舟備楫元何畏，敗葉隨風惜已殘。
吾缺雙棲傷寂寞，汝疏一訊報平安。別懷遠去申江外，更憶故人黃浦灘。

冬襟

不舍如斯感逝川，光宣高詠敢居前。裁章未藉雲同月，止酒寧分聖與賢。
游屐山川賸殘夢，故人碑碣但寒煙。杜詩似寫今風雨，望透千餘兩百年。

前詩既成復有所感

陵谷推移海化塵，世間此事最傷神。才微實蠢為新貴，朋笑方歸便古人。
釃茗生香連七椀，朔風送冷計兼旬。裁章琢對銷寥寂，翰墨原來是遠親。

故人慨塵世多艱因贈以詩

叔世猶存百慮危，前修回溯有同悲。文山親見宋軍潰，端己適逢唐祚移。
莫蓄明眸觀末俗，欲行直道要深思。殘棋半局書千卷，眠食生涯此最宜。

積雨寫悶

閒愁隨雨漫縱橫，心緒從來畫不成。乍感霜風冷吹袂，滿望簷鳥暖呼晴。
滂沱勢了披麟史，淅瀝聲如聽鳳笙。百里重陰天尚晦，恐難冬日抉雲生。

藥樓病中有感

病前啼笑本尋常，此日重思輒可傷。慣向吟朋論拗法，要憑山茗浣離腸。
損骸為贅門長掩，聽曲猶柔興更長。何意詩風今乍變，規摹陳鄭近同光。

藥石

藥石真堪陪久病，苟除飽食復何為。昊天徒羨盤空鴿，泥潦甘成曳尾龜。
敢以詩箋收薄晚，直須書帙了深悲。身孱乍覺寒衣少，試摒冬風下翠帷。

讀史

長沙制法貶為傅，飛將積功嗟不侯。人慧元遭天所妒，數奇恐與命相謀。
閒披漢史生哀歎，雄戍臺疆要大猷。今世艱危憐賈李，有才如此壯瀛洲。

十月初五新店寓樓

慄冽九冬寒訊穩，樓前才默雨瀟瀟。尋詩約竟無言答，止酒腸應有茗澆。
夜入鳳城但漁色，蝨生犀甲不聞刁。俗漓師老成今日，舍下甘於忍寂寥。

心有所感余記以詩分寄文華崑陽

聊為平生溯清夢，東鷗北鶴各依依。雄州聽雨夜連榻，木柵賡詩秋掩幃。
飲酒青衫泛潭碧，盈霜白髮失顏緋。樂天舊句今同感，垂老光陰速似飛。

感冬

樓居寂謐自烹茶，多病纏身感歲華。渾似翠禽銜敗葉，真成白露損寒花。
愁生五臟知誰念，靜掩雙扉避世譁。眠食還同鹿門隱，看山賡詠作生涯。

冬夕讌克地兄嫂芳斋內仁增壽在席

燈火高樓辟歲寒，歡然一席共杯盤。將星遙矚破雲月，座客耻言貪墨官。
溯往夢能歸語笑，飲香酒欲入脾肝。諸君耄矣吾沉痼，世上已嗟行路難。

養拙

前塵俯仰坐書齋，苟活人間斂壯懷。漫以詩文歸楮墨，惜因痼疾損形骸。
迂疏追日有夸父，聰穎補天無女媧。慧少愚多成此世，何如養拙食蔬鮭。

寄明傑賢弟台東

聯招試卷初評了，過我渾疑鳥去來。把臂何堪方一瞥，啜茶真奈祇三杯。
託郵橘柚知微意，授業生徒要儁才。鴻案相莊棲永樂台東地名，披書寒歲一燈陪。

忿忿

忿忿滿腔難以喧，放吟而外復何言。久晴一雨天終晦，暫去再回爐不溫。
應待軍容壯河嶽，直須法吏訟貧冤。黎元倘叱黃魂起，必使瀛涯現曉暾。

早起

衾暖雙重睡起遲，冬暘樓館坐望時。鄰山雨後橫成嶺，勁菊籬前粲在枝。
才向書中嗟酷吏，又從報上撈浮屍。備詩預為諸生用，授業今尊杜拾遺。

無題

千僞獨憐情是真，拚將離緒換悲辛。空桑三宿猶生戀，往事重思尚覺新。
徒憶容光明似月，莫教手迹黯凝塵。夷疆遠隔蒼溟外，吹拂因風寄意頻。

拜讀甯著《守愚吟草》 君湘人少歲從戎晚耽吟詠並掌古典詩刊

尊作句何雅，守愚元不愚。才凌關仔嶺，氣壓洞庭湖。
戍海心曾壯，賡詩老未孤。風行當紙貴，一部遍蓬壺。

論人絕句六首

賈長沙

有道漢文尚偏宕，湘波弔屈意凄其。靈均猶有齊堪去，而汝悲逢一統時。

白樂天

人訾言淫元是妒，詩因語近直須褒。能令老嫗歌長恨，嫗識應如士子高。

杜牧之

規摹詩句豪而健，剛直能為奧衍文。曾宿揚州暫尋樂，誰將嫖客誤呼君。

李義山

辟俗詩多雅馴句，高才撼月寡其儔。若論章脈能驚座，子美真當遜一籌。

辛稼軒

南宋壯詞君首選，雖云變體亦堪誇。譬如男舞霓裳曲，可與紅巾一例嘉。

沈斯庵

扢雅瀛涯自啟蒙，明亡流寓作詩宗。東吟創社開風氣，三百年來一杵鐘。

寒流坐望偶生感觸

朔風微雨釀寒流，坐眺山青兩掌收。啖食能安端有福，設門常掩豈無由。
切音不及王懷祖，警句多慚趙倚樓。摹擬棄翁詩語活，未埋庵合異同儔。

哀　時

世少諍言者，國多貪墨官。蝨生餘甲老，麟死聖人嘆。
一病身猶贅，三巴夢已殘。非甘作雞犬，何用識劉安。

次韻答慶煌教授二首

文衰道喪欲何歸，稍斂塵心了佛機。手泐隨風到寒舍，尊詩一讀興遄飛。
久客蓬壺尚未歸，溪山在側早忘機。汝詩如射水犀弩，不讓浙江潮怒飛。

晚過碧潭

漸稀舟楫搖寒碧，崖頂茶亭客不多。向晚林中舒鵲步，經冬雨後漲溪波。
舊朋一去山猶翠，沉痼重來髮已皤。停軫坐望閒憶往，當年飛動付微哦。

憶伯元學長

黌舍少於音韻長，賡吟晚更喜裁章。考聲不遜陳蘭甫，烹字能摹范肯堂。
已享平居鴻案福，早嗤污吏鼠牙張。尊詩紀事吾同慨，微命端愁殉海桑。

寒舍小聚示同座

樓宅設筵燈火明，歲寒嘉會共歡生。食盤羅列收花氣，庭樹喧呼作雨聲。
積學諸君詩亦進，賡吟一己意能平。年來止酒緣多病，今夕居然飲一觥。

近讀伯元教授詩多憤懣之詞感作

氣血難平似吾感，雨暘不定乃天謀。眾殘禍世心何穢，一老飛吟筆尚遒。
官既無聞枉言政，花而有馥暫銷愁。哀時祇合損脾肺，亂象莫令詩句收。

寒夜

明燈樓舍坐初更，窗飾頗黎寒尚輕。遠且認星非往夕，遲難入寢是殘生。
聞歌月下成追憶，乞命人間待健行。淺俗詩風何以救，要憑硬語黜浮聲。

戎庵逝後念之成句

詩工性傲羅昭諫，才大思雄韓退之。今見菊花傷化鶴，昔依潭樹勸聽鸝。
襟懷脫略重情義，律法精嚴兼友師。積學如公方已矣，待誰卓識釋吾疑。

偶成一首

蓬窩寂謐靜同僧，好尚寧為俗所繩。詩拙猶如金作鐵，情銷除是海成陵。
難期舜日愁多慨，欲踏堯封愧未能。抱疾年深傷蠖屈，足殘不許說奔騰。

祖蔭世澤正三建華諸詩老過訪

從容高屐到斯堂，來共後廳燈吐光。諸老懷人言故事，一壺分茗暖迴腸。
論交君子淡如水，扢雅髮絲俱有霜。詩苑如今草蕪穢，正須吾輩拓寒荒。

哭李中民

皎皎雄州月，獨為新店思。哀揮晦聞筆，寫祭后山詩。
歃血存深誼，銜觴記昔時。堪憐化鶴地，遠眺一何悲。

有感

早忘功祿棄浮名，拋擲流光歲欲更。老去病心初一惘，愁來詩詠但孤鳴。
殃民世亂悲群厄，挾雨風寒乞晚晴。吾命渾如瀛海上，片帆遠與彼蒼爭。

墨卿久疏手泐賦此訊之

訊斷南鯤札，詩收北縣霞。年光改吾貌，心緒念君家。
積日情彌篤，披書興共嘉。遙望欲有問，近狀尚佳耶？

閒坐無俚書懷作

學陋才疏豈敢狂，隨人言語亦尋常。苟全微命吾何幸，難障頹流道已荒。
往事淒迷頻入憶，老歌宛轉暗生傷。閒吟篇什俱零落，擊缽於今最擅場。

向晚

山翠欣堪割，花黃惜未栽。歸巢兩三鳥，銜得夕暉來。

近狀書寄花蓮顏崑陽王文進

數奇李廣侯難覓，命舛卞和身已殘。詩拙固知才亦薄，心平愈覺臆能寬。
鴟昏鷄曉但陪我，竹翠菊黃堪撲欄。去此東疆百餘里，何當相與共杯盤。

過台北市 應徵詩稿

輕軫過橋遠背山，鳳城廣廈插塵寰。黎民闊綽猶邀讌，翠袖嬋娟盡飾顏。
沽酒廊喧人嚦嚦，沿街歌答雨潺潺。北鯤都會繁華甚，燈火通明大道間。

捷運 仝右應徵詩稿

馳憑雙軌往來頻，縮地御風為便民。一瞬能行三十里，雷車飛起大千塵。

朔風一首示維仁弟

朔風樓舍寒加襖，閒坐枯腸借茗澆。抱疾有哀雙足廢，及昏乍亮一燈遙。藏收翠靄詩初就，毾㲪紅塵孰可銷。感汝品評多卓識，還聽三子試簫韶 君頃評《遼北三家詩》。

次韻壽旡藉先生八十五

高吟猶有魯望才，直幹寧愁猛雨摧。八秩五增新歲月，千詩重賞舊鎔裁。揮毫勁似湘斑竹，論品遙連浙釣台。遠隔龜山遲祝嘏，期公壽域萬尋開。

國會大選

廢存此役關朝野，橘枳甘酸早已諳。指鹿為言事終敗，畫蛇無足酒方酣。瀛涯一角嶺形綠，島上萬尋天色藍。經貿興邦期不遠，黃旗高卓運東南。

讀東晟仁弟《愛悔集》口占一絕

東序歡哀入楮來，更收溪壑付鎔裁。少年筆健詩千首，穎異欲追長吉才。

寒　流

寒流四合侵樓舍，遐想隨風坐欲僵。香插銅爐思北港，人觀花海到南庄。
偶聽臘鼓喧天地，獨沏杯茶暖胃腸。落寞蓬窩無箇事，閒披書史送晨光。

戊子新春試筆　民國九十七年、西元二〇〇八年

初日春風扇花木，閒庭朝爽露華滋。流丹畫閣攢飛鳳，環碧滄溟起睡驪。
老去披書啜茶荈，病來賡詠損心脾。繁櫻聞說陽明道，啣尾游車緩緩馳。

孟春漫興

默向篁林慕阮嵇，此身多病畏戎鞾。閒披戶納春千里，偶卷簾延雨一犁。
藥補初燉薑母鴨，腹枵自食左公雞。朋來博塞銷清晝，不覺樓前夕照低。

山城上元

曼衍魚龍見未曾，山城火樹亦零丁。故人遠似天中月，爆竹疏於曙後星。
六合春風漸回暖，一庭花氣暗生馨。蜂炮鹽水真堪賞，此夕螢屏飽視聽。

周代老惠詩次答

吟楮多慚謬寫君，早欽高詠吐氤氳。閒中愈覺讀詩樂，病後漸忘披卷勤。
偶共鷗朋論扴救，稍從螢幕廣知聞。平生功祿俱拋卻，懶向榮途更策勳。

吉志仁弟過訪

遠自鯤南訪藥樓，論詩啜茗共寒流。蓬萊作手平章遍，眼銳能窺二百秋。

英傑先生寄示〈戊子新春展望〉詩次答

睡起初陽光潑眼，東風樓館坐望時。春來全以景為畫，老去尚餘情是詩。
才讀王維重九句，旋吟蘇軾上元詞。鼠年能否拓經貿，顧及賤民吾所期。

遲故人不至

耽閒候朋至，切琢欲詩工。幾換春茶碧，徐低夕照紅。

冷　鋒

恐當禹甸雪融時，慄冽連朝日出遲。忽憶窮黎冷鋒裏，鶉衣觳觫忍寒飢。

碧潭小陽春

碧潭十月小陽春，天暖橋懸遠市塵。煙水夕暉搖小楫，崖亭濃蔭坐游人。
於今樓館嗟非舊，在昔歡哀記尚新。此地蒼茫風物美，他年辟燹買為鄰。

病　久

十七年來痼疾中，身謀家計兩無功。早知臺犢心猶蠢，自念黔驢技已窮。
元亮桃源安可覓，季倫梓澤不須通。餘齡甘願身為贅，不拜車塵不羨鴻。

夜讀

茶來普洱沏燈邊，披讀群書不畏寒。筆健句豪唐杜牧，質輕文小宋秦觀。
學庸之理作禾店，莊老所言如藥欄。回溯當年上庠夜，三更刺股記辛酸。

二疊韻答祖蔭詩老

閒披書帙坐軒堂，燈粲何須鑿壁光。吳月鍾山勞遠夢，浙茶顧渚浣離腸。
詩文牛溺賤歸土，品節菊花寒傲霜。吟域願供綿薄力，隨公同墾此榛荒。

葭月二十三日晤文華

詩卷各評分甲乙，披沙偶許揀金來。寒雲勒雨人初過，朔氣侵籬菊尚開。
同羨子高畫眉樂，早如鴻漸愛茶陪。多欣邀食當亭午，無奈沉痾止酒杯。

重有感

寧隨鱗羽計沉浮，只懼頑痾久不瘳。恥拜車塵甘足廢，早通儒術拙身謀。
南梁文墨推劉勰，西蜀山川記陸游。養病生涯閒讀史，風流人物自千秋。

次韻答張大春見贈

心死真堪斷愛憐，病瘳須待赤松仙。詩文漫讀三千卷，楮墨相陪六十年。
老臥山城嗟命賤，少磨鐵杵愧才偏。攤箋與汝賡吟罷，古誼藏心可問天。

春　雷

頑雲如墨壓三臺，急電搜窗驟雨來。恐聽誑言天亦怒，化為霹靂幾聲雷。

二次輪替

觀海藍初漲，當春綠竟凋。天嗤貪妄拗，人厭眼眉腰。
詭辯哀蘇謝，清廉說馬蕭。歡騰才一夜，新政盼明朝。

晨　起

昨夜星辰望欲迷，遲眠漸覺月偏西。說殘春夢鳥千囀，迎得曙光雞一啼。
且以銅鐺烹茗荈，不曾病足踏塵泥。所願攜家五湖去，雙楫煙波効范蠡。

午寐

雨餘花有淚，風住樹無聲。午寐人初醒，流鶯時一鳴。

足廢

足廢扶輪歲月新，荊山差似下和身。神游大甲趨參佛，心往墾丁呼喊春。
偶喚故人同博塞，早尊修竹是朋親。養生學道閒過日，頷手青雲答謝頻。

夢斷

夢回少日後湖舲，乍被滂沱雨吵醒。往事淒迷餘一惘，那堪今已髮如星。

蝸居

買樓飾華堂，斜陽掛庭木。座右鄰青山，十尋映花竹。所欲聞禪鐘，清心拂塵服。
沉痼棲於斯，早已棄榮祿。閒吟溫李詩，亦取莊老讀。書帙列案前，一一爽雙目。
石州慢姜夔，晚晴賦杜牧。佳製得數篇，不屑珠萬斛。偶邀知己過，經史飽滿腹。
釃茗同芳甘，沙蟹慰煢獨。人去禽聲歡，暮色晦平陸。頑雲占遠岑，留伴夜孤宿。

彈指

吾家楚雲西，久作七鯤旅。眠食客在茲，五十九寒暑。浮海當髫年，今初為人祖。渭上驚逝川，歲月似過雨。坎坷晚命差，辛酸不忍語。

庭中見燕

燕尾剪春飛，依依絮語微。淹留將五紀，不敢問烏衣。

次韻戎庵詩老〈挽春吟〉

林立紺坊參眾神，萬夫雜遝問迷津。詐民國事無真諾，媚竈官銜有佞人。積土終期障狂潦，滄溟不忍見飛塵。可能拭盡黎元淚，共挽瀛洲欲老春。

附：羅尚〈挽春吟〉

吾道窮耶問鬼神。柴煙冀火滿關津。百年家國無窮事，一代曹劉定有人。鳳起蛟騰光射斗，山崩川絕海揚塵。功深韓杜諸來哲，同挽詩壇已逝春。

藥樓集外詩

秋光

已涼天氣近微寒，稍藉川茶暖肺肝。披卷賡詩閒有味，煮芹燒筍絜能餐。
秋來觀世生新憾，老去懷人拾墜歡。寵辱都如雲過眼，餘年豁達是心寬。

恩定弟自嘉義來訪

微涼天氣白雲陪，節近中秋載酒來。遙想雷車雙軌直，都憑山茗一襟開。
上庠猛雨寧無悔，滄海橫流別有哀。熟背杜詩知頓挫，諸羅從此見奇才。

賀瀛社百年

創社晚清源自遠，名家如雨格長新。敲金戛玉三千士，扢雅揚風壹佰春。
詩卷平收雄嶺美，缽音遙答怒潮頻。左旗右鼓聲光懋，高卓吟旛壯海濱。

題周著《德至吟草續集》

吾慕湘前輩，飛吟記一生。才寬洞庭水，氣撼岳陽城。
愛國曾投筆，賡詩漸主盟。真情歸楮墨，此集遍蓬瀛。

郊 行

風聲如虎嘯，山勢作龍蟠。一勺寒潭水，吾當洱海看。

寒舍小集

樓舍來高屐，相看鶴髮侵。圍燈傾綠蟻，洗手剝紅蟳。
閒話多關病，浮名不掛心。喧呼同此夕，古誼一何深。

碧潭晚眺次鴻烈韻

晚眺寒潭外，溪聲欲老誰。橋懸小檝過，亭險釃茶知。
景似唐寅畫，情如杜甫詩。頑痾十八載，煙水憶當時。

題世澤丈《健遊詠懷》二首

雙屐行過五大洲，捫參歷井作吟游。天教一管生花筆，只寫奇聞不寫愁。
午夜炎陽北極光，盡收秘境付吟腔。放翁霞客俱難及，踏破乾坤六四邦。

歲末

大寒推不去，臘月感年殘。短髮生霜雪，濃茶暖肺肝。
詩名濤外雨，藥餌鼎中丹。吾貌垂垂老，流光疾似湍。

鶴仁東晟義南敬萱諸弟過訪浩園

冬日剛回暖，諸君訪此園。小杯分釃茗，啼鳥答清言。
抝救寧無法，字辭須有根。騷壇今寂寞，應共卓吟旛。

餞歲

辭年廿不寐，爆竹偶喧鄰。射覆寒燈燦，圍爐絮語親。
聲稀詩未祭，力竭病休陳。鼠去金牛至，明朝待好春。

己丑元日試筆

爆竹空翻春破碎，東生紫氣滿三臺。鴻鈞轉運執牛耳，鯤海騰歡傾酒杯。
曠野晴光明白髮，閒庭淑氣養青苔。遠山近壑皆如畫，一併直奔詩卷來。

寄永武加國

當年莫逆友，今隔萬堆雲。曾問生疏字，還論奧衍文。
魂飛到楓旆，誼厚共櫻氛同登草山讀書。往事重洄溯，雄州意可欣。

入郭

沿街穿鎮背巖青，入郭花前衣袂馨。雷聲車走過橋上，水裡游魚欲出聽。

品茶口占

當春閒坐對風鐺，普洱濃甘蒙頂香。滇茗川茶烹次第，啜來七碗洗詩腸。

自遣

鎮日初陽到夕曛，拜經以外讀詩勤。臨軒偶爾耽閒坐，一列缽花紅欲分。

瀛涯

瀛涯日月換華顛，每到花時一惘然。已是衰殘非昔健，慣從陳腐作新詮。
沉吟得自舒閒裏，遐想起於荼蘼邊。燕子初來春正好，銜泥營壘曉晴天。

偶作四韻

聽風看竹閒披卷，偶對鄰山不十尋。雨後車聲喧午座，花前茗氣拂春襟。
體孱愈覺寒流苦，詩拙才知活法深。玉壘洞庭長在憶，此生足廢恐難臨。

乍憶昭旭為余所書門聯故而促成一律

鴻鈞轉運又春歸，感汝桃符大筆揮：「世濁餘詩堪寄夢，心寬容物自忘機」。
雅馴況復詞能達，灑脫真憐字欲飛。多謝為書嵌名對，紅光一片燦門扉。

午睡醒後作

日暖雲浮午寐清，樓前竹影上簾旌。啼醒殘夢鶯聲巧，剪破流光燕尾輕。
近喚山丘赴詩卷，偶邀墨客話文評。一庭花木供閒眺，只恐晚來風雨生。

記華岡

雨餘山色青，講堂授詩旨。寒雲自窗來，棲在曲廊裏。

感近事五首

扁案

對質無真誠，扁案辦愈窘。貪墨三十億，而綠竟力挺。是非今莫分，
何如一甌茗。

棒球

世賽二連負，淘汰敢怨天。揆席何震怒，體協忙整編。冰凍積三尺，
寒非一日傳。簽賭既渙散，紀律復蕩然。好手遭挖脚，遠擊扶桑煙。

垂老失歸路，茍活於人前。規畫亂如此，難奏凱歌旋。

海嘯

物價狂飆升，經貿逢海嘯。失業乾坤潮，豈獨外孤徼。一元逼死人，
白屋神所勞。貧賤起盜心，治安風中纛。廊廟叮嚀言，領略記精要。
協力障橫流，三臺逐幽好。

上庠

上庠何其多，僂指難以舉。大者如疆場，小者如寸嶼。學資雖貴昂，
零分亦錄取。智力實下愚，偶與盜賊伍。泰半平庸徒，思之淚似雨。

誤判

爬也到蓬嶠，此老恐錯看。阿里雖挺拔，只是景緻妍。明潭縱秀麗，
惜少文化緣。未抵岱宗頂，漢帝曾封禪。還遜浙湖美，蘇公恣流連。
陝州大雁塔，驪山貴妃泉。秦墓兵馬俑，湘水篁竹斑。禹甸多古蹟，
何必慕遠天。

憶秋金口占奉寄旡藉

寒舍當筵酒百傾，半酣慣是發吟聲。樓前鳥雀驚才捷，一併來聽七律成。

向晚

及昏蓬舍晚風遒，咫尺鄰山夕靄留。偶喚修篁陪右側，慣從寂境溯前游。
拜經愁遇佛中典，引興漫如潭上舟。歌哭卅年追夢外，吟鞋曾亦踏神州。

車行

坐眺潭舟興不違，一山繁翠沐朝暉。杏林此去車行疾，但覺街樓逆向飛。

客訪

釅茶貯瓷杯，論詩與公語。午后薰風中。此老踽踽去。

卓午

亢陽坐炎甑，午倦睡不成。樹陰撲地直，夏景隔牖明。池鯉知逭暑，石罅浴水清。修幹風失職，桄榔刺天晴。萬籟此俱寂，偶一吆喝聲。

逕暑

坐依臥榻對軒廊，晌午尋思卻熱方。冷氣堪銷千里暑，冰茶直貫九廻腸。詩吟飄逸青蓮李，詞愛清新白石姜。鎮日披書耽晝永，氣平心靜自然涼。

郊村即事

廿載薰風長子孫，此身抱疾住郊村。鳳凰木外雞啼曙，芍藥花前犬吠昏。螢幕傳真知世事，鷗朋扢雅見靈根。何當吟屐堯封上，再補歸蹤到澧沅。

家煌弟有詩見貽次答

前塵如夢化為煙，每到春時一惘然。眾壑青於衰髮外，繁櫻紅在病容前。死生命定寧求佛，功祿雲浮莫問天。多謝貽詩能厚我，坐望汝似竹嬋娟。

遣懷再次家煌仁弟韻

滇茶裊裊自生煙，縱不游春亦釋然。偶喚花紅來座右，閒招山翠落窗前。
有才唯大子昂首，無欲則剛吾媿天。除卻賡詩披卷外，餘生相伴月嬋娟。

及昏至夜率賦一律

蒼穹倒植鳳凰木，一片紅雲依嶺岡。乍斂餘光驚頃刻，已沉暮色入蒼茫。
指痕眉月天邊掐，花味茗湯杯裡香。坐眺鄰村一燈上，夜氛四合到身傍。

孟春述事（編案：改作）

重陰樓館雨瀟瀟。愁緒十分須酒澆。京闕中宵鴉雀鴞，宦場諛吏眼眉腰。
春聲眾蟄茁新木，茗氣平潭懸弔橋。天地金融當海嘯，元戎能否是唐堯。

孟春述事（編案：原作）

重陰樓館雨瀟瀟，一抱煩憂借酒澆。京闕中宵鴉雀鴞，宦場佞吏眼眉腰。
風聲眾蟄分春色，茗氣平潭見索橋。經貿乾坤當海嘯，元戎能否是唐堯？

桐花

寒雪山腰映夕陽，油桐紛鬧客家莊。莫言長夏無奇彩。花白千株點綴忙。

落寞

鎮日吾除賡詠外，螢屏偶亦識高論。說殘清夢蟬吟午，歸覓舊巢禽語昏。
過雨滂沱花有淚，壓人寂寞我無言。二年跬步不輕出，薄晚薰風閒到門。

披書

晝宵樓館皆岑寂，唯有薰風到此堂。竹葉聲窗詩夢綠，茶煙影壁月杯黃。
文篇日下披韓柳，詞籍燈邊愛陸姜。書帙閒開銷雜念，蓬窩獨坐興方長。

山城夏日

二載何曾過鳳城，郊村堅坐度陰晴。萬民已懼新流感，雙足惟傷舊疫情。
有命死生吾不畏，無緣窮達意才驚。盪胸雪椀堪消暑，閒聽飛禽喚友聲。

過眼

過眼雲烟能溯往，當年名盛忍重論。早知愁緒詩堪錄，才說歸思淚欲吞。
雨驟猶陪一茶甌，足殘已退廿年溫。此身有贅傷沉痼，榮路於今不復奔。

溼暑雜詩二首

薰風推不去，入抱惹詩香。清遠王摩詰，堅蒼范肯堂。
命同雞狗賤，心與隼鷹翔。肝腎雖衰敗，多欣創作忙。

人信貪夫絜，吾悲直道艱。厭聞牛李亂，徒羨羽鱗閒。
山水全歸眺，詩文半待刪。擁衾思往事，雙目夜鰥鰥。

成師惕軒百歲辰紀念詩次慶煌韻

百歲前塵久不沉，銜恩卅載感何深。攻駢早得徐陵訣，授業尤知庾信心。
名並昔賢吾所佩，才憐後進世同欽。棘院廿春誇第一，鳳藻鴻文直至今。

薄晚一首

身殘相迫竟離羣，鬱蒸更礙讀書勤。晚嶺蒼同潭水逝，夕陽紅與缽花分。
早停酒醴持茶荈，忌食猪羊愛筍芹。已沉暮色無箇事，閒披螢幕廣知聞。

蟬聲

蟬鳴焉有情，卻引愁滿户。故人久不至，苔破雨為補。

以薄晚為題再賦一首

不斷輕風掃鬱蒸，臨窗薄晚望山陵。黃梅熟後隨時雨，白髮增來到處燈。
一世真披詩萬卷，半生已歷浪千層。遇新流感殊驚訝，首例侵台眾口騰。

午意

慣從歌哭溯前緣，罹疾於今十九年。雲影離庭午蟬叫，山光入座眾禽妍。
自搜夏袂過三伏，漫擁吟箋困一廛。彈指寸陰驚荏苒，青絲俄頃換華顛。

夏聲

閒適螢屏對茗甌，偶聽驟雨坐重樓。炎風入屋推難去，細雀窺簷叫不休。
蛙鼓一鳴真定霸，蟬音數起似含愁。佛堂梵唄當鄰左，斷續傳來入耳幽。

夕陽

夕陽樓館晚風妍，山水奔來詩卷前。壓嶺頑雲疑墮石，換形獰塔欲驚天。
廿年廢足終無悔，一訣傳生信有緣。守到黃昏皆寂寞，噪晴歸雀舊巢邊。

朋聚

朋來回溯釃茶新，雞腿成餐辣亦辛。事遠卅年奔眼活，蟬鳴四處抱枝頻。
人衰吾已生黃髮，體健君猶勝翠筠。午后斜陽聯袂去，前塵哀樂託孤呻。

遐想

聊將落寞換清閒，待得天昏見月彎。聞說碧潭青竹美，泛舟也欲過前灣。

讀詩

「心上是誰影，花前非我春。」堅蒼周棄子，吾所服膺人。

偶感之一

天無降運同工部，命不逢辰類賈生。境厄本應詩亦進，才疏真感句難成。
那堪久病閒為樹，漸覺知交遠似瀛。早歲心非巢許輩，誰知五秩效其行。

偶感之二

耽閒或是除煩訣，知足真成養老方。遍覽杜韓忘歲月，偶親楮墨爽心腸。
客來話藝銷長晝，鳥至喧簷惜落陽。茶荈相陪過一夏，烏龍初澀武夷香。

端居

和適生涯讀禮經，倦眸暫閉養餘齡。廿年詩卷潭分碧，一桁山光雨洗青。
積學何堪生鶴髮，銷閒偶亦播螢屏。薰風不斷吹花木，少許蒼苔欲補庭。

朋至

庭前花木對山橫，樓館門扉共冷清。知己帶來三峽雨，小婢烹出一鍋羹。
大言吐穢君如舊，滿室生歡病已輕。嗟我為身久停飲，不然端欲酒相傾。

崑陽伉儷過訪

遠道不辭冒殘暑，午蟬高唱迓同來。感伊貌秀驚鳴雀，喜汝身安富雋才。
水乳融時歡意洽，荈茶香處雅懷開。言歸且莫愁寥寂，尚有山青供剪裁。

歲月

展卷觀經史，飛吟效杜韓。山青碩石壯，髮白老夫殘。
孤寂氣非燥，艱危心益寬。春夏推排去，流光迅似湍。

文華偕淡大驚聲詩社諸生來訪

雲陰午后蝸廬寂，到此青衿共茗甌。吹牖風溫颸自去，插科語妙鳥相酬。
言詩不乏快哉問，感興真當先矣收。要向曹溪分半勺，諸生且與汝師謀。

文華惠詩次答四首

宋格唐音認最清，廿年詩卷血書成。倘將偽語都刊去，真欲上追風雅聲。

壯歲曾為禹甸遊，長城吟屐浙湖舟。故鄉又報中秋近，端合先歌水調頭。

一雨盪為天下寒，螢屏閒適夜來看。紅塵萬事紛難了，今日宜歸袖手觀。

才疏學淺愧稱師，歌哭前塵漫繫思。恩怨已隨車轍少，閒披書帙不曾悲。

附：陳文華〈讀夢機近詩奉贈四絕〉

非唐非宋亦非清，纏疾經年詩格成。華藻玄言兩銷盡，始知筆下是真聲。

足廢心忙事臥遊，三巴雲峽五湖舟。茫茫禹甸經行了，夢覺依然瀛海頭。

螢幕能知天下事，一杯釅茗且閒看。老夫亦有澄清志，早歲何曾壁上觀。

風義平生友與師，昔年語笑助人思。夕陽門巷朋蹤杳，掩卷憑添惘惘悲。

藏心

多年養拙靜同僧。默坐真能散鬱蒸，不讓祿名生內熱，藏心早有一壺氷。

閏端午后十數日驚聲詩社再訪

蒲觴飲罷又攜酒，問字再來聽釋疑。詩與謎同語非誑，事從理反句尤奇。

一樓釅茗論章脈，四座歡言滿畫帷。曼老叮寧當記取。洗心要待十年期。

不寐

偶攜殘句歸衾枕，猶自思量眠未成。墨潑山前樓不動，星沉戶外籟初清。

年華老去才何窘，詩眼拈來字數更。困倦全為雞叫醒，天邊曙色已微明。

大雨後作

驟雨初過爽氣留，夜清真覺小城幽。招風萬里來雙袂，呼月離愁付一鈎。
天外烽消未歸使，海前浪靜不驚鷗。時平地固身安穩，樹影飛來共茗甌。

次文銓弟韻口占

一燈燃夢是愁心，萬籟都沉午夜深。記得文銓好詩句，衾中不寐試賡吟。

天來詞兄自基隆過訪

獨攜溼暑炎陽至，庭樹蟬聲迓客臨。黌嶼詩流撐半壁，獅峰弟子課千吟。
分杯茶釅生花氣，論法言歡答鳥音。僻地不嫌郊道遠，興來還過酒同斟。

碧潭閒眺

停車坐愛碧潭東，新泛天鵝有小篷。煙水獲將灘後竹，弓橋劃出霽來虹。
茶亭高據直崖起，佛寺遙傳清磬通。抱病廿年艱跬步，前塵都在綠波中。

記燕陝游

西安雁塔北京燈，中歲吟游燕陝曾。古邑秦皇兵馬俑，大都明帝十三陵。
前朝遺址看無數，後世羣書信有徵。此外長城兩千載，一墩一石自堪憑。

贈邦雄教授口占

性不愛紹興，用心在普洱。一杯復一杯。文思不能已。

詩　材

竹碧茶黃夏雲白，聞言景物供詩材。一山橫亙蓬窩外，飛動青光潑眼來。

過碧潭橋

車過橋上返郊村，診罷杏林何忍論。已冷崖亭游客去，一潭疏雨濕黃昏。

樓居漫興

耽閒獨坐背簾旌，得句剪裁終未成。少讀史書詩力退，多摩刀布俗心生。
廿年落寞悲前事，一茗芳甘戀晚晴。昨向碧潭橋上過，光陰都付水流聲。

夕靄

鄰山樓外碧成堆，坐對庭榕夕靄陪。愁緒又為蟬叫起，餘暉已被鳥銜來。
端宜冷氣銷三伏，且使遐思遍九垓。筆墨賡吟守岑寂，林篁飛上鬢箋栽。

亢陽

六月薰風不滿林，亢陽一暑恐難禁。荼黃褪去消甘味，山翠飛來耐細吟。
庫土漸驚龜裂遍，潭波懸想鰻游深。剖瓜自食當亭午，微爽生涼直貫心。

自適

寂謐愛來札，性慵回覆遲。遠招白門月，閒照碧庭池。
讀史得新解，試聲吟舊詩。生徒偶然過，能慰病支離。

遲友人不至

知交負諾缽花慵，枯候從教茗椀空。草木無聲樓不動，讓人真墮寂寥中。

山色

休沽貴州酒，莫購四腮鱸。門外青山色，不須錢五銖。

午盹初醒作

不覺臺員換鳥鳴，孟秋碧尚笑盈盈。雲影飄樓詩夢逸，山光媚我缽花明。
微升何敢同天比，小滴寧能與海爭。薄學陋才難大進，未如蝸舍自安生。

柬文華

貧而好道為原憲，樂以忘憂是子淵。公德都應沾後進，吾庸不敢仰先賢。
詩陪一世真嗟命，祿棄千鍾豈怨天。何日蓬窩來小聚，淡江聽汝話推遷。

附：陳文華〈次韻答夢機〉

水北山南惠錦篇，宛如煦日照潛淵。微軀差幸可無恙，小德何堪擬大賢？
性拙久能甘宿命，身煢早不懟蒼天。但期魚雁頻通問，冷眼從教歲月遷。

余居淡水河岸，君家新店山陬，南北阻隔。

家居

蓬萊禹甸望悠悠，天塹東西兩岸愁。峽不一千餘海哩，家猶六十幾年秋。
呼來雲鴿三分熟，看去山崖孤掌收。廿載樓軒尚安適，閒攤詩卷伴茶甌。

鯤南風災

強颱肆虐遍民恫，豪雨滂沱毀道中。樓塌漫疑岩墮地，橋摧真覺水成洪。
一淹土石村全没，盡失牛豚圈已空。廟策拯災須務實，游詞莫更惘哀鴻。

閒適

送爽風輕不滿帷，雲陰樓外雨絲絲。真教衣換涼何在，慣愛書來覆卻遲。
庭內徐看佳械竹，窗前默誦舊文詩。耽閒當晝渾亡賴，讀畫聽香一笑宜。

二疊韻再柬文華

徒羨游魚浮上下，不如結網去臨淵。積知或可成山斗，累德終能效聖賢。
一語太謙休認命，萬緣實繼料回天。稀齡將屆人生始，歲月莫令容易遷。

自適二疊韻再寄天來詞兄

樓館貪朝爽，初陽睡起遲。驚看桐上葉，徐墜竹邊池。
展讀披吾籍，賡吟和汝詩。消閒剝丹荔，細數子離離。

秋夜

深宵樓外雨絲絲，催我吟哦入睡遲。四壁燈波媚黃髮，一庭蛩語叩青帷。
功豐早已灰千想，詩俗固應嗤眾為。天氣微涼今夕夢，不知到蜀到湘湄。

憶往四首

超峰寺

鯤南少歲記游蹤，柚桂偷來味愈濃。最憶超峰寺中宿，驚禽叫響五更鐘。

少年

少年血氣沸胸中，好勇雙方仗彈弓。引起鄰居前輩怒，持鎗止鬥一何雄。

擊鉢

館宇臨場來謝陶，鉢聲遠答北鯤潮。以詩同祝介公壽，廿六掄元難掩驕。

奮發

革面修心刺股時，上庠勤讀不嫌遲。五經四史丹黃遍，十載真成博士師。

三疊淵遷韻奉寄文華

疊韻賡吟斟字句，真同履薄面深淵。望鄉路遠三千里，仰德心欽七二賢。
雙腎已虧寧惜命，餘生多舛合由天。願隨君札通音問。不使光陰易耗遷。

野望

暫駐輕車當薄晚，環河道上坐望宜。偏南沃土青篁茂，徐下平疇白鷺遲。
潭水分開秋兩岸，山禽歸沐雨千絲。偶然外出心舒暢，宛似拘囚遇赦時。

安坑閒居

養拙生涯歲月深，郊村閒適送歸禽。匡謬書帙篇篇讀，扢雅詩箋一一吟。
小缽蒔花秋寂寞，密雲勒雨氣蕭森。平居眺遠收新象，舊夢隨風莫更尋。

秋興寄渡也弟

瑟瑟金風竹折枝，桐飄一葉下魚池。新涼到骨露何早，惡疾欺身心久知。
已聽秋聲乍思膾，偶來驟雨又催詩。近因吾弟贈文旦，憶起髫年偷摘時。

孟秋

秋風乍起憶蓴鱸，雁斷何堪訊已無。蛩語訴愁聽不盡，一鉤眉月掛樓隅。

明經攜眷過滬魯轉豫探親晚秋返臺

萬里晴雲雙翼飛，游觀滬魯興無違。人經北地嫩寒出，身負南天微暖歸。
白髮省親尋祖墓，紅顏伴汝敞心扉。豫中桑梓多新象，二十年來景已非。

輓張以仁教授

祖籍三湘久客心，桃花源記昔同吟。人間書種悲方失，天上文星慟已沉。
重省宏篇雙淚下，一沾厚澤廿年深。夜臺此日多師友，酬答頻頻恐不禁。

秋夜遐想

樓館棗紅風瑟瑟，遠思楓葉一林丹。湘江蓼岸看斑竹，蜀邑蓉城食辣肝。
豪氣不除恐心死，流光易失又年殘。今宵莫問詩文價，且更披書效杜韓。

初冬瑣事

孟冬天氣冷三臺，數缽寒花供剪裁。雲不壓樓憐白去，山疑登戶送青來。
披書倦睫徐徐下，賡詠幽懷漸漸開。但以螢屏適情性，辯言莫更費心猜。

寒流日往耕莘醫院

杏林問診感身殘，道上車行趁大寒。斷雲自據高低嶺，叢竹遙分上下灘。
期能衰體呑丸順，忌食甘餳保腎安。雙足至今驚地弱，只愁一贅伴餘歡。

茗 坐

長憶杭湖與秣陵，依床默坐靜同僧。一壺茗荈香猶棗，廿載功名夢已冰。
晚興還如冬寂寂，中齡真覺浪層層。伴妻福份成哀誄，誓海盟山豈可憑。

懷諒公丈

稼翁逝後諒公從，此老風流孰繼蹤。一失清音無可代，修門除是曉來鐘。

久不晤邦雄念之成句

普洱甘濃汝抱開，真從翰墨見奇才。博通莊老兼韓子，長覺聲名逐耳來。

索居

索居真與宅男同，慣以尋常物表功。庭樹侵窗詩夢綠，缽花媚我客襟紅。

寒書

門寂披書讀禮經，庭苔已補破痕青。三杯茶釅消寒氣，微聞室內缽花馨。

寶島

涼楓紅失陽明壑，寒菊黃銷大貝湖。莫道秋冬少顏色，天教長綠飾瀛隅。

寄鴻烈詞兄

釀寒風雨計兼旬，期對頑痾一戰擒。新得柴桑閒適趣，琴絃不拂也知音。

次韻維仁弟〈重遊碧潭〉

呼車臘月過寒潭，衫鬢兩青吾昔探。二十年來身已廢，舊游惟向碧波酣。

懷昆陽花蓮

來去鳳城人甚都，上庠授業課賢愚。花蓮港外濤千尺，能洗北鯤塵垢無。

火　鍋

魚蟹羔湯實料多，青衿課罷樂如何。燙蔬縱有銷寒力，無奈難教髮不皤。

寒　舍

黃橘芳甘配釅茶，前庭碧樹即天涯。足難出戶將三載，寂謐清閒是我家。

答東晟弟來函口占

飛來一札意何深，內附佳詩耐細吟。選句原為能自賞，敢供賢弟作南針。

秣　陵

淮水臺城鍾阜風，白門月照碧潭東。龍盤不使南朝固，三百年來帝祚終。

閒　居

盆景能令雅抱開，壺杯濃荈遞香來。欲移一角寒山碧，為補枯篁與破苔。

耶誕夜

不聞耶誕歌，不見耶誕樹。此夕慄冽寒，鄰巷車轍去。

晚寐感作

一室俄休燈，置我黑洞下。美牛責何歸，其咎在駑馬。

臺　茶

寧嗜松江鱸，未憐於陵筍。幾片烏龍甘，頓使才不窘。

溫　書

吟詠背杜詩，披卷看史記。庭前雨如絲，青燈憶童稚。

赴次子婚宴

廣廈華筵張，佳媳勝桃李。引吭聞汝歌，一廳愛意起。

歸途

鳳城萬樓燈，送歸一煢獨。喧聒漸遠離，終回讀書屋。

漁夫

孤篷以為家，勤奮忘寵辱。清曉臨幽寒，櫓聲水山綠。

評詩

甲乙甄選誰，寒天忽已晚。披沙期揀金，翻覺沙涴眼。

客去

故人駕車歸，簷前聞啼鳥。離愁訴盡難，鄰壑青未了。

寂寞

寒雨閒訢愁，塵外聽風語。門無賢者車，寂寞恐難禦。

感春

百無一可賸詩騷，蓬嶠春來逸興高。花氣自娟東郭月，吟聲遠達上潭舠。
不曾實力過温李，但欲閒情勝謝陶。國事如斯噤難語，為何短髮首頻搔。

雨中

郭外郊村與世分，隨風淅瀝亂紛紛。賡吟自媚簷前雨，張袂猶收嶺上雲。
真覺人閒盼邀笛，漸知才退欲抛文。何時虹出當新霽，坐對軒廊待夕曛。

茗飲偶感

鄰擇雙潭又一春，啜將釃茗不辭頻。武夷曾沃閩山土，普洱豈分滇境塵。
老去湖湘歸尚晚，病來歌哭記猶新。獨陪寂謐無賓至，書帙盆栽是我親。

夜望

軫向環河道上停，微涼真感夜來增。蟲吟哀弔初更月，溪水遙分兩岸燈。
曠望春風吹短髮，遠看平野接荒陵。除非問診艱離戶，此際窗沿快一凭。

樓居

運轉鴻鈞紫氣新，羣山指顧入樓頻。天驚老塔猙獰貌，病愧晴軒浩蕩春。
近日笋芹知味美，往時楮筆寫情真。詩文論孟翻都遍，養拙生涯未算貧。

陽明山花季

一壑嫣紅姹紫春，游車啣尾欲空城。樓高遠控蕭蕭竹，陂廣斜栽灼灼櫻。
大道迓晴風奏瑟，危崖懸瀑鳥鳴笙。吾因足廢難前往，美景惟憑遐想生。

天災

近訝花高翻地牛，中颱頻又襲瀛洲。飛來華北沙塵暴，想見鯤南土石流。
崖裂山崩天不管，泥稠村滅眾何投。傷心處處多災害，大澤波寒鴻淚愁。

中颱

橋摧樓圮失花馨，刮海中颱帶雨腥。千簣難填四方水，重陰盡掩九天星。
流含土石隨泥黑，風撼山丘拔樹青。呼嘯狂飆引雷至，全臺肆虐不曾停。

贈顏教授花蓮

風物洄瀾收掌上，家鄰蒼海湧春濤。才名高並雲千丈，官興淺於船一篙。
孝悌能行尊孔孟，詩文不廢慕劉曹。辟雍傳道原君願，往返鳳城何畏勞。

睡起

重衾孤枕戀匡牀，東上初陽朝爽涼。雲影飄樓詩夢逸，花光射壁架書香。
但看螢幕知塵事，偶聽禽音譜樂章。漫飲川茶思錦里，無端水厄惱離腸。

寒舍春曉

浮生已是半殘身，卜宅郊城二十春。山壓高樓鄉夢重，杯分澹茗缽花親。
鄰車破寂喧孤座，密雨釀寒清曉塵。郭外蓬門朝爽裏，覼詩寫就墨痕新。

初更

前庭花木夜初深，不負書燈落寞侵。經史全窺孟班意，詩文默會杜韓心。
驚禽叫出山樓月，遠寺傳來梵唄音。吟興藏胸猶未已，謄攜殘句入春衾。

郊城

郊城鎮日好懷開，椰竹蕉櫻取次栽。曉日白猶聞鳥叫，晚霞紅欲妒花來。
晴光書卷山相對，淑氣詩箋茗作陪。愛煮火鍋邀客坐，紹興偶飲兩三杯。

春興

鄰山橫亙坐望中，慣飲杯茶胃洗空。花圃平收三月雨，篁叢默領一春風。
已過舊夢休相憶，再酌新詩賴以工。閒適欲增豪邁氣，蘇詞取讀大江東。

輓汪中教授

驚報文星慟已沉，上庠舊夢忍重尋。難回書種悲何已，乍歿人師感不禁。
帖繼南宮傳異代，詩賡元亮見閑心。夜臺端合多知友，酒集真當醉百斟。

暇日

山城路轉認紅牆，披卷嘗鮮賴此堂。詞讀周姜兩才雋，湯烹羅宋一鍋香。
臺禽自答樓前雨，川茗猶澆客裏腸。試以何書銷晝永，名人序跋細端詳。

雨後

蓬居背嶺遠紅塵，足廢難游大海濱。放霽虹收千嶂雨，回暄天賜一城春。
青蔬已買跳樓價，白髮真成忌肉人。除卻三杯澹茶外，筍芹茄韭是吾親。

新店耕莘醫院

真覺房橋逆向飛，呼車簸夢載朝暉。杏林樓館多新象，十五年來景已非。

碧潭

春風坐對弓橋晚，霞斂停車愛景幽。千里閒招白門月，一隅來照碧潭舟。
危崖拔地茶亭起，遠寺傳山梵磬收。往日前塵多少事，廿年猶向綠波留。

樓　前（編案：此詩與前所錄〈看山〉近似，姑兩存之。）

不沽武昌魚，莫購帝王蟹。樓前山色青，何須錢來買。

崑陽工吟文華善飲詩以贈之

交篤雙君擅曲騷，聲譽人說等劉曹。洄瀾晚稻連山遠，淡海驚濤裂岸高。
錄夢詩工名愈顯，送鉤酒暖氣猶豪。儒林莫更矜望重，鬢髮於今已二毛。

寄懷厚建

君住鯤南我鯤北，偶從吟詠証無邪。用心早擅詩書畫，避害原疏雀鴇鴉。
汝粵珠江看已緩，吾湘嶽麓去猶賒。曾浮溟渤今俱老，端合相親客海涯。

春　夜

披卷初更寒氣增，樓前潑墨是山陵。清風杜律三壺茗，疏雨莊文一盞燈。
胸次排憂遼似海，生涯養拙靜同僧。沉痾早墜青雲志，榮路旋知駑不騰。

金陵感舊

光陰荏苒屬流塵，猶憶髫年竹馬親。千里誰呼紅海月，一隅閒照白門春。
樓台淮水心能記，楊柳臺城夢尚真。六十年來彈指過，髮絲今勝雪如銀。

玫瑰城

山翠春殘漸已肥，郊城畫永興無違。參差樓舘爭初日，出没岩峯帶晚暉。
貪客文心茗相待，惱人塵事手頻揮。蟄居於此成幽隱，不夢餘生載譽歸。

三月十五薄晚偶成

坐對庭花眼乍明，詩文看了賸閒情。長飆一掃山前晦，歸鳥羣銜雨後晴。
欣見櫻鵑銷寂寞，厭聞牛李起紛爭。紅塵萬事呼何奈，滄海横流白髮生。

春歸次雙照樓韻

階前紅藥怒爭開，春晚燕歸辭舊臺。情逐芊眠芳草去，手招駘蕩暖雲回。
惜無飛絮飄黃髮，偶有殘花點綠苔。酬我新陰隨處見，不知庭樹是誰栽。

孟夏長句

桃李枯時芍藥紅，炎州孟夏暖無風。淡江赴海茫茫去，屯嶺拏雲默默雄。
換得薄衫教體爽，收將冰碗盪胸功。晴光十里明游目，左視蕉陰右竹叢。

端居漫興

知命從來病不憂，身殘漸欲一歸休。吾胸遠比滄溟潤，客札真當白璧酬。
崇仰文宗禮韓柳，貫通詩脈愛梅歐。沏茶龍井陪高興，啼鳥飛來補景幽。

天來詞兄惠詩次答

高詠隨函耐細斟，黃州句法試重尋。如蛙在井羨禽翼，似馬伏槽聽梵音。
俗脫君摹千藻後，詩工待我廿年深。相期蓬嶠卓吟旆，扢雅揚風同此心。

獨　夜

廿年歌哭莫相尋，夜坐軒廊夏景侵。皎潔月光心寂寂，闌珊人意淚涔涔。
熟蔬端合三餐繼，沉痼還思一戰擒。已過初更歸臥枕，恍聞遠寺有鐘音。

傳公校長邦雄教授夜過

黃昏剝啄到門楣，杯酒多欣話舊為。疆月呼來照山雪，滇茶沏了助文思。
關心風雅公非耋，用力莊韓汝是師。塵事人謀談不盡，興濃直到月升時。

消閒

披書不語似銜枚，羈緒端宜一掃開。螢幕館奇誇世博，蟬聲樹直插庭埃。
說殘午夢鳥飛去，壓破閒愁山作陪。何物涼生銷溼暑，解冰手剝荔枝來。

自書近況

飾廊花影近吾廬，彈鋏無由出有車。楮墨詩收山水月，杯盤性嗜筍芹魚。
病情漸冉令身瘦，老色行看上面徐。藥石廿年仍足廢，殘生真感犬難如。

玫瑰城夏日

郭外山城入夏時，五千餘戶熱難支。梅天自默斜街雨，榆架猶存善本詩。
乍見篁青簾捲早，幾銷茗碧客歸遲。蒼鷹徒羡能騫翥，下走郊行已不宜。

病後四韻

於陵浪說求黃笋，苗栗寧能覓白桐。微命猶如雞狗活，殘身只恐鼠狐攻。
勤披經史終何用，閒撰詩文難以工。眠食生涯惟養拙，晚年早已忘作仄漾韻窮通。

晨讀

晨讀方知爽氣舒，東升初日掛樓隅。已違湘夢江千里，早燙臺茶水一壺。
廿四史書同趙璧，百三詩卷似隋珠。相陪濃翠周遭在，羣岫愈增吾獨孤。

文銓仁弟過話

話中希吾出版詩文全集

潮州北上過寒舍，釃茗壺杯對汝言。推出鱈魚供午食，飛來庭鳥訝炎軒。
拙才安敢鴻圖展，榮路何嘗駑足奔。二十年間世風改，詩名傳統已無根。

夜坐

輯稿賡吟夜有功，孤燈陪我坐簾櫳。蛙聲空弔樓心月，蝸舍微收廊外風。
慣愛函來懶裁答，為披書讀盼融通。卜居山麓聊成隱，彈指流光一夢中。

授課　課名「詩學研究」

諸生座繞晝時燈，電篋差能掃鬱蒸。明律端宜知拗救，裁章偶亦話飛騰。
無繩繫日終為憾，有病傳詩恐不勝。供食分茶送歸後，獨眺山雲湁湁興。

前　庭

貪看山翠愛浮嵐，花樹前庭我早諳。衰體久罹消渴疾，餘生忌食積甜柑。
峰疑劍刄雲分二，月照吾身影共三。昨向碧潭橋上過，東堤已失柳毵毵。

劉治老贈詩次答

平生枉以詩為命，琢對連章實拙才。體貌久教歸一病，聲名未許著三台。
盤天白鴿羡閒適，排闥青山供剪裁。口噤年時艱吐字，逢人語默類銜枚。

感事微吟

頑痾迫我久離羣，人到餘年似夕曛。慣愛披書非俊彥，早知害道是空文。
兩韓殺氣徒呼月，一峽危碉遠戍雲。宇內烽烟隨處有，殘疆能不練兵勤。

閒居

披書十卷興猶高，爐火藥鐺陪寂寥。病樹全經梅雨活，缽花還被竹風搖。
浮雲散去天如洗，羣岫飛來戶在邀。啜茗偶然聽越曲，榻邊遐想浙江潮。

再用蕭韻賦上海一首

樓攢飛鳳異前朝，司隸章成非繼堯。舊訪陝州登雁塔，直航滬瀆到虹橋。
中央路上霓燈爍，黃浦江頭估舶遙。瀛海螢屏傳世博，館奇處處見旗飄。

客至

閒居四面皆山翠，惟見羣禽叫牖來。蓬舍久憐無客過，茗壺初喜有君陪。
漫言詩脈明奇格，欲釋文心要雋才。滷鴨薰魚供午膳，還同薄酒盡餘杯。

朋聚

地僻已稀車轍過，朋來小聚樂相言。五花燉肉油非膩，一尾蒸魚死不冤。
河瀉辯才驚午鳥，山高談興動晴軒。生涯養病多平澹，慰我還希到浩園。

授業 課名「杜詩研究」

沉鬱篇章知頓挫，少陵才並嶺崢嶸。岐陽官冷歸鄜畤，同谷腹枵奔錦城。
不洗窮愁沾袖淚，猶存忠愛在胸情。北征授罷餘惆悵，請業生徒亦噤聲。

感近事

坐對青山茗一壺，鳴禽已換慰羈孤。厲陽吾畏連三伏，羣彥誰賢選五都。
道擠不堪多布虎，時危豈是少城狐。殺人枉以拖求變，廢死聯盟實下愚。

玫瑰城漫興

橫亙鄰山疑入欄，聽風聽雨暫生歡。早吞藥救將衰腎，慣沏茶澆已病肝。
庭鳥帶來芳草氣，匡床鋪出薄涼簞（編案：疑作「簟」）。玫瑰城裏樓千戶，我作滄洲瓦舍看。

薄晚二疊韻再寄家煌仁弟

羅列羣山目尚明，十分幽緒亦含情。落陽終乏長繩繫，歸鳥呼來晚樹晴。
待補蒼苔因暑活，將殘黃竹與天爭。管他鱗羽沉升事，稍欲安然度一生。

扁案三疊前韻戲作

二審從寬理欠明，減刑庸吏忒多情。眾心淌血不消憤，寥宇積霾寧放晴。
律法端如雞狗賤，庭判還聚是非爭。早知貪墨難論罪，何不流年批死生。

庚寅端午明輝維仁中中諸弟來訪

歲歲端陽說已煩，蓬窩延客共蒲樽。剝開粽葉供枵腹，看列廊花飾午盆。
靳尚於今混猶好，屈原在昔歿何冤。龍舟競渡聽喧鼓，忠愛一懷誰更言。

端午後一日作

五日才過少客臨，飄香角黍付騷心。小城已歇黃梅雨，遠籟猶傳翠竹音。
能容事拙知胸濶，漸覺身羸感病侵。螢幕閒開看世足，葡邦輕把北韓擒。

夏至 節氣名

晝長夜短從茲始，冷氣吹涼息鬱蒸。午後掀雷過驟雨，榻旁披卷勝高朋。
買來芹笋供佳饌，看去雲烟覆遠陵。伏櫪老駑驚節氣，流光荏苒了無憑。

基隆諸弟妹贈詩擇韻答之

不辭溽暑行官道，遠自雞籠到舍前。名並雲高吾豈敢，才同海大汝當然。
吟聲直撼獅峯月，缽韻遙連釁水煙。他日諸生能好學，哦詩譽滿北鯤天。

冷　茗

冷茗薄衫過一夏，宵來剝食荔枝紅。掌孤收得柳梢月，嶺近送將林表風。
病欲尋幽雙足贅，老猶賡詠十年功。無端遐想金陵地，竹馬喧呼衖巷中。

夢龍先生贈墨寶及詩遂用其韻以和

壁懸墨寶仰觀之，復唱拙詩清澹辭。傾蓋碧潭成邂逅，欣將雅抱結新知。

天來詞兄贈詩次答

尊詩鳳藻暗流馨，吟詠勝於看禮經。章脈新裁問何似，渾如登戶一山青。

蓬窩

客去蓬窩寂，缽花猶自閒。看飄午後雨，來洗暑前山。
瀹茗重須沏，清詩莫浪刪。安居無箇事，坐聽鳥關關。

養眸

披卷人初累，養眸遐想頻。老歌迷昔夢，古月照今塵。
滬瀆天何遠，杭湖景已陳。江南舊游處，幾日託吟身。

樓望

憑欄游目鴿羣陪，微雨空庭濕土灰。樹外鳥啼驚節換，嶺頭石破讓雲回。
虹教天碧心初放，野送篁青手自裁。櫛比樓軒一城內，遠望誤作小蓬萊。

夏夜

電箑吹涼溼暑天，壁燈媚我夜纏綿。洗塵淅瀝庭中雨，煮藥飄浮爐上煙。
偶覘螢屏瘋世足，默聽蛙鼓憶髫年。殘生料得終岑寂，端合哦詩楮墨前。

獨坐偶成

廿年足廢久離羣，坐聽鳴禽惜落曛。心慧當須長食鯉，身羸所忌病媒蚊。
裁章詩最尊工部，臨帖書難繼右軍。記得兒時游玩處，渝州錦里蜀天雲。

漫興一首

忽憶戎庵君善於繪竹曾舉辦畫展

熏風樓舘坐望閒，逸興遄飛心自寬。老塔驚天留貌醜，空山過雨宿雲殘。
缽前看久花都熟，欄外吟多鳥亦歡。惜有叢篁君已歿，不然試墨報平安。

感時四韻

殘疆牛李爭猶烈，宵小犯科今未消。星月中天照衰世，笙歌永夜掩鳴刁。
高官貪墨人多厭，孽子弒親天不饒。汙穢清除恐無日，移風易俗路何遙。

讀　書

披卷軒窗坐榻旁，一杯川茗釃生香。山中寺遠鐘初落，道上車多客自忙。
栗里詩篇看已慣，桐城文集讀猶詳。以書消夏心寧靜，不畏炎蒸與厲陽。

蓬舍薄晚

食有鮭魚出有車，安坑養拙買樓隅。看飛白鴿泯塵念，坐戀青山忘市途。
文物十箱非卞璞，圖書一壁是隋珠。漸收暮色遠燈亮，弦月已升鄰廈孤。

早起

螢屏書卷慰殘傷，早起閒依卧榻傍。慣以臺蔬飽晨腹，愛烹川茗洗詩腸。
風來入戶吹衫髮，鳥去穿雲測雨暘。平順餘年逢大暑，待開冷氣領新涼。

晚年

足殘早已不探幽，默默無言守此樓。病宿七尋一城脚，老侵六十九年頭。
客來沏茗話奇事，雲去棲山遮遠眸。聞道鳳凰花似火，剪裁端欲以詩收。

樓舍長句

書香滿屋是吾家，獨覘朝嵐與晚霞。過午滂沱西北雨，入杯郁馥上中茶。
欲登秦嶺摩雲近，待去湘江怨路賒。雙屐端宜游故國，除非足廢滯瀛涯。

藥樓坐雨候友朋至

無言渾似口銜枚，坐對軒窗見鳥回。樓外滂沱九霄雨，山前霹靂一聲雷。
朋來局戲知天性，眾去堂空賸茗杯。哀樂人生悉如此，喧豗而後冷清陪。

《兩張詩壇》所刊詩輯補

伯元寄詩即次其韻

諸峰雨了又晴鳩，記向中原溯俊游。紅葉尚饒秋壑美，黃花稍補小廬幽。
哀時日落風何勁，恨別心驚鳥自啾。欲問五千年往事，大河猶是帝堯秋。

環河道中作

瀝青道路起輕埃，燭夜千燈隔岸來。枵腹猶嘗秋寂寞，大橋不鎖水瀠洄。
曾占微命殊非薄，誰料沉痾換此哀。鷗外新墩明月在，山邊遙指小樓回。

煙　雨

煙雨空濛濕晚炊，苔痕漸看上階滋。窗前水氣全歸袂，杯裡香茶半入詩。
庭草綠從人去後，鵑花紅到燕來時。故園春色應無恙，剪韭畦邊定有誰。

書近況寄諸故人

蔬食生涯世外清，且拋窮達臥山城。十年詩卷收花氣，一幅簾波捲樹聲。
人事又驚隨鳥換，病心真欲與鷗盟。分憂釋謗恩常在，入戶林邱鑒此情。

按：以上四首，刊於《印刻》雜誌二〇〇七年十二月號

論學

大儒精魄已難尋，箋注蟲魚誤至今。空向淺塘爭下餌，蒼溟誰有釣鼇心。

無題

叢殘往事夜燈知，負諾終憐悔已遲。十五年來一惆悵，唯收紅豆種相思。

弔屈

以劍為形莆亦威，辟邪一束掛門扉。屈平沉水過千載，食粽蛟龍恐亦肥。

賈誼

經史丹黃年少知，左遷弔屈渡湘漪。靈均猶有齊堪去，嗟汝身逢一統時。

按：以上四首，刊於《印刻》雜誌二〇〇七年八月號

記事

春風永巷記題門，謝盡桃花夢不溫。除卻一天秋夜月，就知唯有水潺湲。

重過超峰寺

沿鐘尋寺入僧寮，聽磬重來暮雨飄。幽竹飛青仍可掬，離懷追夢到垂髫。

按：以上二首，刊於《印刻》雜誌二〇〇七年七月號

少陵

杜公短褐散詩香，錦里千秋尚草堂。最是唐陵荊棘裡，西風夕照下牛羊。

記蘆溝橋

樹影煙光入畫收，北京西去是蘆溝。可憐橋下桑乾水，曾帶中宵戰血流。

寓意

素衣早已染緇塵，京洛生涯易損人。試看灘頭一拳石，在山曾是骨嶙峋。

南巡

圖南海燕趁風微，矰檄連天怯已歸。半路早知將戢翼，不如元本未曾飛。

按：以上四首，刊於《印刻》雜誌二〇〇七年六月號

記夢

薰風拂檻斂烝炊，戎旆浯州入夢疑。鷗白遙分雲一片，山青盈視雨千絲。雄碉戍海宵吹角，陳釀浮香暖沁脾。枕上乍醒天欲曙，十年前事已迷離。

按：以上一首，刊於《印刻》雜誌二〇〇七年四月號

水滸傳影集觀後

霸氣梁山久已消，當時水寨接雲遙。尚留千載英雄恨，付與汶河來去潮。

老厝

牆多蘚色瓦如鱗，風竹生窗夢亦青。門外長流一渠水，換來千畝稻花馨。

秋襟

天氣微涼雁不過，蝸居岑寂似山阿。孤燈影壁泛紅暈，幽幔迎風生翠波。
靜裡閒猶批史籍，睡前渴欲飲星河。庭邊蛩與樓心月，惹得離人涕淚多。

按：以上三首，刊於《印刻》雜誌二〇〇七年二月號

宿燕子湖作——距東坡泛舟赤壁之夕九百年

晴溪蜿若常山蛇，群風怒似南山虎。虎頭東顧囓蒼穹，蛇身西走歸遠浦。
雙橋未肯鑠逝波，不舍如斯換今古。誰歟築堰當下游，橫截煙波狎野鷗。
殘虹收盡千嶂雨，涼颸吹作一湖秋。煎茶待月攜吟侶，披襟共話庾公樓。
東山林壑轉皎潔，斗牛之間冰輪澈。天與月我相濡涵，水息鷗眠聲影絕。
詩歌窈窕致纏綿，待譜新腔吹笛裂。曏者東坡世稱賢，清風赤壁恣流連。
縱葦所如凌萬頃，白露橫江水接天。爾來一時五甲子，紅桑遙夢彈指間。
扁舟已逝簫聲歇，空餘明月尚依然。此夕於公益思慕，忠愛早陳萬言疏。
九霄咳唾紛珠璣，兩宋詞翰矜獨步。身竄嶺海更瓊州，平生艱危到遲暮。
都將寵辱付達觀，四鐘何嘗驚曉寤。嗟夫吾輩計窮通，塵網百累損幽衷。
杯酒幾曾消塊壘，風懷宜共髯蘇同。默坐試參水月喻，萬物與我皆無窮。
憑軒一笑霜天白，銅琶欲唱大江東。

按：以上一首，刊於《印刻》雜誌二〇〇六年九月號

舊游二首

之一

岧嶤大崗山，游衍得幽趣。沿鐘尋寺門，禮佛香幾炷。
遠眺青煙升，知有樵戶住。偶然發長吟，轉身旋忘句。
蓊勃夏木森，蟬鳴閒吾步。摘食多桂圓，浮嵐入衫屨。
欲攜片雲歸，留與補衾布。

之二

昨抱梨山蒼，今踏合歡雪。登樓望奇萊，皚皚何皎潔。
下有雲海生，猶堪自怡悅。乘桴客炎州，未嘗見銀屑。
本謂六出花，不到老蚕穴。豈料躋嶺巔，寒光冷似鐵。
縱欲捧之歸，清白與誰說。

按：以上二首，刊於《印刻》雜誌二〇〇六年七月號

茗飲歌

闌干春暖花妖嬈，青山橫亙雲浮飄。廣廳有客致新荈，微馥可待驅塵囂。
銅鐺得火煮活水，看沸蟹眼聽松濤。昔因地辟違試茗，玆日悠意隨煙搖。
興來援例說章脈，玉溪跌宕才尤高。反常合道變奇趣，髯翁千古真詩豪。
唐宗貌淡神復邃，宋刊浮采堅同篙。嚴為分塹本無謂，清辭麗句俱堪褒。
論詩口訥詫移晷，杯勺已覺茗翠銷。洗壺重沏煩素手，細芽嫩葉如香包。
回甘留浥喉舌潤，味永還令吟腹枵。梨山遠憶得春早，旗槍雲嘆今相澆。
暮天陰晦燈已上，收拾茶具心寥寥。蒼茫夜色漸四合，膳罷人去羅東遙。

按：以上一首，刊於《印刻》雜誌二〇〇六年六月號

《古典詩刊》所刊詩輯補

記明帝十三陵

城外清風掃鬱蒸，十三明寢聽人稱。已回邃古棺猶在，偶話前朝史可憑。
往昔民難窺御座，至今屐任踏皇陵。從知帝力隨身朽，姓字何如漢郅鷹。

忍閒

忍閒能樂慕天隨，郊墅移家副所期。塵念都如嶺雲散，風情已被雨禽知。
偶招鷗侶銜杯飲，獨守螢屏入睡遲。書帙長披消歲月，渾忘甲子是何時。

按：以上二首，刊於《古典詩刊》二一〇期（民國九十六年十月）

輓戎庵詩老

平生誼篤友兼師，豈意風催竹槁時。鶴駕乍歸才可惜，鳳城久亂死何悲。
高懷吞月嵯峨骨，硬語盤空駿爽詩。泉下儘多賡詠客，不妨酬唱話流離。

偶成

命因沉痼負心期，眠食慚為俗所羈。酖毒三臺天欲墮，風濤一峽界何危。
長繩繫日真能否，枵腹飼人元不宜。十六年前歌哭事，迷離無復記當時。

按：以上二首，刊於《古典詩刊》二一一期（民國九十六年十一月）

世澤醫師過話

喧豗啼鳥午庭空，剝啄人來健鶴同。偶以高軒覓長吉，最於閒詠效龜蒙。
言詩妙出酸鹹外，沏茗馥生杯碗中。沉痼累吾艱跬步，多公送暖到簾櫳。

按：以上一首，刊於《古典詩刊》二一八期（民國九十七年六月）

以劍為形蒲亦威，辟邪一束掛門扉。沉江屈子過千載，食糉蛟龍恐已肥。

端午（〈兩張詩壇〉亦刊此詩，名〈弔屈〉，唯字句略有不同爾。）

夜讀

半部閒披讀墨經，不知樓外雨盈庭。書燈有味支宵坐，猶是兒時一點青。

按：以上二首，刊於《古典詩刊》二二二期（民國九十七年十月）

午寐初醒

睡起薰風韻可聽，缽花羅列笑伶俜。輕愁已被蟬餐去，午夢全為鳥喚醒。
長記童年白門柳，難忘中歲碧潭舲。縈回往事尋思了，書帙閒披讀藥經。

藥樓題壁

雨後斜陽射牖明，簷牙啼鳥助微呻。長廊望去缽花媚，舊圃招來風竹親。
財阜真當馬生角，病瘳除是海揚塵。身謀國事何曾遂，且食荔支消暑頻。

按：以上二首，刊於《古典詩刊》二二三期（民國九十七年十一月）

山寺

薄晚鐘沉蝙蝠飛，殿中寂謐一燈微。雲歸宿在禪廊外，留與山僧補衲衣。

鳳凰花

六月驪歌唱徹天，乍離黌宇髮猶玄。可知鳳樹花如火，風雨前程點不燃。

按：以上二首，刊於《古典詩刊》二三四期（民國九十七年十二月）

附錄：輓聯、輓詩、輓詞、追思文輯錄

按：所錄爲九月一日中午以前寄至治喪委員會者，以寄達時間先後排序。

壹、輓聯

（一）林正三先生

夢機顧問千古

是學者、是詩人，不以身殘墮志，時彥英名高一代；
力傳薪、力弘道，轉因心敏收功，鴻儒奕業著千秋。

臺灣瀛社詩學會理事長林正三敬輓

（二）陳文華先生

夢機我兄　靈右

詩卷長留天地間猗歟偉矣；
夙緣竟隔幽明界嗚呼痛哉。

弟陳文華拜輓

（三）中央大學中文系全體受業弟子

夢公吾師靈右

騷壇喪祭酒，令絳帳三千弟子，今後哀哀永抱悲愴；
帝闕召詩才，看蒼穹十二星辰，此時點點皆含淚光。

中央大學中文系受業弟子仝泣輓

（四）曾人口先生

夢機教授千古

鍛句裁章山谷玉溪探秘古；

以今諧古神州寶島著詩名。

曾人口敬輓

(五) 林安梧先生

夢機教授千古

詩人慈悲孤懷寫夢；
墨客玄智獨化參機。

慈濟大學宗教與文化研究所所長林安梧敬輓

(六) 中央大學中文系師生

夢機教授千古

等閒富貴浮名，風流一世歌詩，誰人不憶碧潭煙雨；
笑看是非生死，坐忘廿年物我，吾輩徒傷是處青山。

中央大學中文系師生拜輓

（七）唐羽先生

夢機顧問生西

養疾若參禪，風教不慚垂典範；
昌詩還說法，涅槃修到脫塵緣。

臺灣瀛社詩學會顧問唐羽敬輓

（八）王前先生

夢機顧問仙逝

文壇仰大名，面教無緣成憾事；
佛域登何急，懷思此日弔英魂。

臺灣瀛社詩學會理諮詢委員王前敬輓

（九）張耀仁先生

夢機顧問生西

人以道隆，早有文名尊前輩；

雲從龍化，幸留詩卷啟後生。

臺灣瀛社詩學會監事主席張耀仁敬輓

（十）姚啓甲先生

夢機顧問千古

學界譽長存，一代宗師悲不壽；
先生魂忽去，三千士子弔斯人。

臺灣瀛社詩學會副理事長姚啓甲敬輓

（十一）陳欽財先生

夢機顧問生西

瀛社結吟緣，位尊顧問崇高幟；
平生揚雅韻，今寫哀詩最可傷。

臺灣瀛社詩學會副理事長陳欽財敬輓

（十二）李宗波先生

夢機顧問仙逝

品德兩俱全，譽高壇坫欽風範；
音容何頓杳，詩弔宗師極慟哀。

臺灣瀛社詩學會常務理事李宗波敬輓

（十三）洪淑珍先生

夢機顧問千古

學識共尊崇，大老胸懷堪世範；
文壇孚碩望，騷朋哀弔仰儒風。

臺灣瀛社詩學會常務理事洪淑珍敬輓

（十四）洪世謀先生

夢機顧問千古

藥樓構思，六合胸羅，最憶詩情天地闊；

滄海揚塵，一朝仙去，那堪吟望浪濤哀。

臺灣瀛社詩學會常務理事洪世謀敬輓

（十五）徐世澤先生

夢機教授千古

星殞震騷壇，噩耗驚傳凋國寶；

名留光海嶠，音容忽杳失宗師。

臺灣瀛社詩學會常務監事徐世澤敬輓

（十六）蔣夢龍先生

夢機先生千古

榴紅謁草堂，猶記和詩吟妙韻；

玉露歸仙駕，長悲學海失宗師。

臺灣瀛社詩學會理事蔣夢龍敬輓

（十七）張建華先生

夢機教授仙逝

耆老作仙遊，吟友傷心空墮淚；
大師騎鶴去，騷壇解惑竟何人。

臺灣瀛社詩學會秘書長張建華敬輓

（十八）吳秀真先生

夢機顧問仙逝

聲譽重儒林，弔唁親朋來遠近；
文名揚寶島，空留筆硯憶晨昏。

臺灣瀛社詩學會副秘書長吳秀真敬輓

（十九）邱天來先生

夢機教授千古

藥樓傳好句，頌橘詩清，疊韻珠璣懷接席；

鷗海起哀音，騎鯨人遠，精嚴律法失追攀。

基隆市詩學會創會理事長邱天來敬輓

（二十）郭文鋒先生

夢機教授千古

學者丰標，畢世精神揚國粹；

風人懷抱，等身著作耀文光。

基隆市詩學會總幹事郭文鋒敬輓

（廿一）王富美先生

張公夢機先生千古

治學傳經，看滄海橫流，墜緒待尋公竟去；

憂時示疾，想藥樓一老，談詩說法道何賡。

基隆市詩學會王富美敬輓

（廿二）張成秋先生

夢機詩翁千古

百代過客，筆花如詩如夢；
千秋人豪，麗藻連韻連機。

好友　張成秋敬輓

貳、輓詩、輓詞

（一）鄧小軍先生

哭夢機教授前輩

霧氣霑書讀藥樓，瀰天風雨黯然愁。
砲聲不掩鶯聲至，回首金陵六十秋。

北京首都師大文學院教授鄧小軍敬輓

(二) 劉清河先生

敬悼張顧問夢機教授千古

投刺門應鎖，談詩念子詩。
夢機機已失，學界痛宗師。

臺灣瀛社詩學劉清河敬輓

(三) 張健先生

悼夢機兄

天地一丈夫，善歌復善吟。相交卅二載，一笑乃知心

(四) 吳東晟先生

敬輓夢公教授

萱幃乍冷感心傷，釋經依然憶北堂。(家祖母慟於七月廿五日生西，八月六日發引)
天際又傳文宿墜，壠頭誰念野風狂。
至親至敬歸冥漠，除病除憂已健康。

太息轉輪何過急，人間兩度碎肝腸。

又一首　次夢公夜望韻

哀來詩思已枯停，抱憾推敲感愧增。返駕應瞻三世佛，籲天漫借七星燈。江西派衍黃山谷，夔府宗崇杜少陵。重捧遺篇檠下讀，樑摧棟折恨難凭。

晚　吳東晟敬挽　九十九年八月廿日

（五）陳新雄先生輓詞

〈驀山溪〉

停雲詩社，老宿如飛絮。次第便凋零，去無蹤，已難重聚。昔時歡笑，今日盡成愁，濕衣襟，看點點，淚落如秋雨。

君家何處，夢裏尋歸路。歡重聚，啼淚無數。黃泉路遠，年歲等來人，諸事盡，乘天風，且來吟詩去。

夢機輓詞調寄驀山溪　陳新雄敬輓

（六）黃師鵬先生

弔藥樓老人

詩詞境界在涵養，泰斗一人張夢機。十九病年詩忽輟，藥樓今夜雨霏霏。

黃師鵬敬輓

（七）林正三先生

夢機教授輓詩

驟然一訃慟吟魂，往蹟回思淚欲吞。清概直看張海甸，鴻詞久已著乾坤。

黌庠謦欬歸長憶，壇坫丰儀許再溫。玉闕修文天有意，定教斗宿暗天閽。

博識如淵邃莫知，交遊直似友兼師。菁莪如筍門牆立，著述盈櫥錦繡披。

或以英才天所妒，竟膺痼疾體難醫。他年倘過安坑路，遙向雲山揖羽儀。

臺灣瀛社詩學會林正三敬輓

（八）陳慶煌先生悼詩

其一

藝精師拜魚千里，體育轉攻文學喜。博士名成最擅詩，卻兼行政難齊美。

其二

知命前詩三百首，中風後竟一千多。才情天授思潮湧，日夜吟哦抗病魔。

其三

大悲念轉化成詩，字裡行間沉鬱甚。吟苑從來特重君，幾回相聚欽豪飲。

其四

萬古騷壇誰巨將，扁斤班斧鑿精微。上追山谷垂青史，輪椅詩人一夢機。

慶煌按：「魚千里」係夢機恩師李漁叔的書齋名，「扁斤班斧」指古代最擅長造車輪的老匠阿扁與大工程師魯班，斧斤則是他們專用的利器。借此來譬喻夢機不愧爲斲輪老手，可直追宋代的黃庭堅，將在《中國詩史》上永遠留存「輪椅詩人」張夢機這一封號。

（九）黃祖蔭先生

敬悼張夢機教授

宋幟高擎儼殿軍，三台麗則望風雲。忽然撒手騎鯨去，麾下哀號儘虎賁。

新竹黃祖蔭敬輓

（十）林劍鏢先生

敬悼張夢機顧問

訃聞先德入天畿，末學員林憶夢機。遺作常翻延蔗境，花開滿地仰芳徽。

彰化縣湘江書畫會理事長林劍鏢敬輓

（十一）徐世澤先生

敬悼張師夢機教授

病中忍痛樂傳薪，囑寫詩篇重創新。受教三年風化雨，初研拗救略知津。

其二

三千桃李出名門，授課情真語亦溫。面對病魔仍蘸墨，新詩應與世長存。

其三

藥樓驟見音容杳，一代詩豪鶴駕迎。應是修文天際去，不能磨滅是嘉名。

（十二）陳文華先生

哭夢機二首

竭盡天河水，誰能洗此哀。
兩公遽化鶴（雨盦師先於四月間仙逝），萬念輒成灰。
芸篋存鴻藻，風簾憶茗杯。
夜臺君好去，儻許夢中來。

霞交膠與漆，風義友兼師。
脫略形骸外，參商雲樹思。
廿年憐足廢，一夕慟魂離。
再過安坑路，涼颸應助悲。

（十三）胡傳安先生

敬輓張夢機教授

五虎岡前始識荊，雄姿炳煥著詩名。宏揚風雅欣同道，雒誦瑤章舉座傾。

註：淡江大學建於五虎岡，民國六十四年筆者與張教授同任教於淡大中文系。

其二

廿載悲情困藥樓，鯤天吟稿釋千愁。魁星乍殞遺篇在，一代才華萬古留。

（十四）顏崑陽先生

夢機久病忽爾大去予遠居花蓮聞之悲不能已

元白交親四十年，遙天星落亂雲煙。我心悲逐詩人去，君疾終隨薤露先。未絕唐音起大筆，猶霑俠氣對遺篇。從今縱有藥樓在，花色蟬聲空悃然。

庚寅孟秋顏崑陽哀輓

（十五）吳榮富先生

敬悼張師夢機教授二首

捷克歸來驚噩聞，霹雷暴雨亂紛紛。海涵天地思風度，詩縱龍麟燦錦文。

一語提攜三十載，片恩實重萬千斤。助人不欲人知曉，世上無多唯有君。

歸國時差未醒眠，魂驚太白墜天邊。詩星耀世光難掩，崑玉雕龍韻自圓。

名媲三唐推老杜，才傾兩岸奉青蓮。成連一去蓬萊隱，誰識金針已暗傳。

註：三年前夜訪玫瑰城，張師始告知曾以「三年就有一個碩士，三十年未必有一個吳榮富」，暗薦愚聘回成大，實感深恩。

愚生吳榮富敬輓

（十六）劉榮生先生

悼張夢機教授劉榮生

時將嘉著惠東橋，親手題籤姓字標。博學謙懷情篤厚，宏詞深意境彌韶。
倏消皓月光清影，長咽玉樓腸斷簫。此後浩園來往路，教人何處問詩豪。

（十七）鄭中中先生

悼念張夢機老師鄭中中

迴腸別緒總難禁，怕酒銷魂偏自斟。君蛻病身乘鶴去，思來夜半不傷心。

（十八）楊瑞航先生（紐約）

追悼張夢機教授

逢年呈寄十篇詩，每讀回函愧學遲。伯樂今天登極樂，誰憐野駿沒人知。

（十九）楊維仁先生

哭夢機師三首

問字山樓際會殊，一車歡忭向郊途。安康路轉玫瑰路，雀躍衷懷此後無。
隨宜娓娓述斯文，咳唾珠璣座上分。圓桌高談賸追憶，更從何處挹清芬。
戎公歸後夢公歸，並世詞華悵式微。新店煙嵐碧潭水，再無椽筆寫清輝。

（二十）吳身權先生

讀維仁兄「哭夢機師三首」有感以賦

依依欲訴本難詞，敬仰先生百世師。忽記當年濡雅處，何堪此夕讀君詩。
雨零思緒盈胸次，淚點傷懷落酒卮。悽惻直須尋一醉，舉觴無語佇多時。

（廿一）王啓文先生

敬悼張夢機教授

遙山敬仰震丹台，忽慟騷壇夢覺哀。柏嶺秋寒思貴客，文樓室冷失高才。
書留藥字舒人醒，淚望潭紋對影猜。雲鶴遠峰知路返，仙庭鼓樂為君開。

（廿二）鄭中中先生

大夢醒時執意歸，秋因星殞雨霏微。幸留韻事由人弔，熠熠詩芒奪月輝。

（廿三）張大春先生（轉錄自「網路古典詩詞雅集」）

輓夢機

藥樓堪是此身修，欲步丹梯果不瘳。一軸周旋摩詰室，千行直下少陵秋。
山頹猶帶堅蒼色，句老能傾濩落流。世亂毋須惜吟者，群仙更結有情遊。

（廿四）李佩玲

哭夢機師

縱隨驥尾拜名師，畢竟堂高學已遲，況我生頑多僊懶，累公撐病輒攜持，
語溫每託雙魚得，律細嘗從一字知，逐展舊緘爭肯信？再無人囑勉於詩！

（廿五）陳慶煌先生詩、文

輪椅詩人張夢機——悼念張教授宓白

陳慶煌冠甫撰（二○一○年八月廿一日）

當我於一九六九年讀大學中文系三年級，修巴壺天教授開講的「駢文選」時，即知曉「張夢機」的大名。因巴師採用臺灣中華書局印行成惕軒校訂、張仁青編註的《歷代駢文選》上下冊作爲教材，而卷首扉頁依次有林尹、李漁叔、宗孝忱、謝鴻軒等大師暨第一位國家文學博士羅錦堂的序，唯獨一位作詩的即張夢機，當然就刮目相看了。

「夢機」這個名字好像很眼熟，大概是我聯想爲夢到西晉時由東吳入洛的大才子陸機，還有《樂府雅詞》所載宋無名氏大曲「九張機」，有「張」、有「機」，而詩人想像力豐富，本應多「夢」的緣故吧！

在我讀大學期間，已頗有詩名，大三「詞選及習作」所塡長調，曾幾次被選載於〈中央副刊〉；攻讀碩士學位時，也曾與政大同學隨盧老師聲伯（元駿）上華岡參加由中華學術院詩學研究所舉辦的全國大專青年詩人聯吟大會，在未私下暗地經師長潤飾而交卷參賽，幸獲第二名，之後偶有習作投登《中華詩學》雜誌。一九八三年春，我通過教育部國家文學博士學位考試，自政大畢業後，到淡江大學中文系專任，有機會結識李嘉有（猷）教授，蒙遴聘爲詩學研究所撰述委員，遂常有詩作載於刊物上，想必夢機也應知曉我的詩名。後來在校際的學術研討會場合，我們也僅止於點頭微笑寒暄，彼此來去匆匆，並未深談。

就在一九九〇年的平安夜，李嘉有教授聘名廚在其位於和平東路二段通安大廈六樓寓所紅並樓宴請美國、香港來訪的詩人，而國內人士趙諒公、羅尚、張夢機與我皆獲邀約。席間我曾將九月十三至十四日，隨革命實踐研究院講習班百位教授訪金門時所作〈金門頌〉古風及〈金門組曲〉二十一首，分送與會諸老請益，這是我與夢機第一次正面的交集。隔年春我應中華民國文藝界聯誼會會長易大德之邀，前往中日文經協會的會議廳作專題演講之前，在杭州南路一段人行道上，夢機與羅尚向南並行閒聊，我朝北和他們錯身而過了六、七步，想不到他們回過頭來將我喊住。原來他們已先開過了一場會議，所有老輩都在爲老成凋謝，青黃不接而擔憂。夢機說他去年平安夜在紅並樓觥籌交錯之際，只隨意瀏覽我的詩作，等回家後才特地再三細心閱讀，並與羅尚等老輩多次交換意見，大有唐代歐陽率更路行見到索靖所書寫的碑刻，乍觀即過，離開了好幾步，再回過頭來仔細端詳，竟然布坐碑前研究、品賞，甚至留宿其旁，三日纔捨得離去的況味。他倆轉述詩壇大老私下一致對我的期盼，望我堅此信念，以維風雅於不墜。聽了使我頓時受寵若驚，但又深覺慚愧不安。原來去年底羅先生寫贈我四首詩，就是這樣的心意。其實數年前羅、張兩位先生也曾次韻過我的〈龜山朝日〉絕句二首，夢機的詩是這麼寫的：「靈龜何意化螭龍，萬里蒼波此獨宗。雄峙山峰迎日曙，迴游水族待天封。彈丸小嶼七鯤東，翠壁朝收海日紅。疑是媧皇補天石，萬年遺此見神工。」

也許之前我未寄贈大量詩作給他，或當時他忙於中央大學行政工作的關係纔會如此吧！詎意不久之後，在一九九一年秋，夢機竟病倒於三軍總醫院，幸即時救治，度過死蔭幽谷；雖足不能行，手不便於寫，發音甚緩，但腦筋卻靈活得很。由於他必需靠輪椅代步，專人照護，隔年只好移居新店玫瑰中國城；天天與藥罐為伍，因而自稱其屋為藥樓，謝絕了外頭不必要的應酬。也幸而他在知命之年已具備大詩人的條件，纔能於中風後藉作詩來打發這二十年的枯寂生活，不停地季鍛月鍊，遂使其詩更加的工穩，而且作品量也多出病前的四、五倍。唯一有差別的是：以前大半屬古風長篇，深具剛勁遒健、磅礡雄渾之氣，後來幾乎多為近體律絕，雖四平八穩，格律精嚴，但氣卻不能不隨著年齡、體力而趨於一致。

在夢機養病復健藥樓這十幾年來，他幾乎隔週寄用電腦A4紙單面列印的詩作給我，他大約每週都寫了五、六首；我雖講貫少暇，但以詩作爲讀書日記，從不間斷，已成例行正事，大概投郵較懶，通常每個月會一口氣寄給他兩三張B4紙列印的詩作，應該不少於六、七十首，這樣子也可以供夢機去打發時間了。也曾好幾次夢機兩三個月未寄作品來，我就會耽心他的身體，逢人便問他的近況如何？比如王邦雄、曾昭旭、陳文華、顏崑陽、陳啓佑等教授，我都曾探詢過。在我任《中華詩學》總編輯期間，夢機都很客氣，會在詩作上標明「敬投中華詩學雜誌」字樣；卸任後，他也會以抖動的字體親筆寫：「慶煌教授吾兄吟正：弟張夢機敬上」，並標明某月某日。從這些細微地方，都可看出他爲學、做人、辦事的謹慎。在張前考試委員定成出任詩學研究所所長後，曾設宴於和平東路的北平稻香村；龔嘉英任中華詩學雜誌社社長期間，也曾設宴在仁愛路的聚香園。均以夢機爲貴賓，我亦敬陪末座，樂銜杯酒之歡。

一九九九年春，夢機曾次韻我的〈五十初度抒懷〉、〈賀陳母林太夫人九秩晉五大壽〉七律各一首，以及〈淡江新拓蘭陽校園喜賦〉七絕四首，熱誠可感。二〇〇三年癸未秋闈，衡文試院餘暇，我曾作一首律詩寄贈夢機云：「躓後張侯詩轉勁，長吟千首境翻新。孤燈子夜鬚拈盡，簇錦三唐杜最親。意蘊精微思邃密，格呈蒼老力艱辛。十年復健彌弘毅，瀝血堅心字字珍。」

二〇〇四年元月六日，因拜讀夢機兄以前寄送的《鯤天外集》，載有其府上北牖所懸周棄子、黃光男兩幀字畫，於是感賦長律一首贈予夢機云：「復健藥樓觀字畫，手扶橫槓日方晡。圖呈五彩懸蛛妙，詩近同光與眾殊。蒼峭自然成大老，蕭疏有致見雙雛。昂頭鼓翅如將啄，俄頃回神筆不誣。」

詩後附註：「李嘉有先生曾撰〈同光體詩的最後一筆〉，以論周棄子詩，黃光男爲高師大博士，現任國立歷史博物館館長，夢機兄曾以今之文徵明、惲南田期許之。」這是我從夢機詩中描述藥樓擺設而想像其每一日的生活片段……後來我又作了一首古風贈夢機，隔不久他也次答云：「君惠水斗升，能救鮒魚活。嚴寒葉多枯，欣見花一缽。汝學比山成，聰慧亦穎脫。高詠如秦青，歌聲令雲遏。嗟吾患沉痾，早已忘窮達。晝視晴嵐氛，夜沏香茗沫。霽色隨虹開，清詩遠欲奪。邱壑藏於胸，冬襟爲之豁。暮齒重養身，所忌在葷辣。」

呀！想不到我每回所寄的詩在夢機枯寂的養病生活中這麼需要。夢機謙虛地把自己比喻爲陷於乾涸的鯽魚，又如同寒冬中的枯葉；竟視拙詩爲充滿生機的盆花、可以活命的泉水。二年前他還曾作詩邀約我至其府上品茗，本擬前往，卻以微恙轉成腹膜炎，出院後又忙於瑣務，遂一直展延。去年春，逢先師成楚望百歲冥壽，蒙夢機次韻紀念，至情難忘；尤其每週捧讀他所寄的新作，一直未前往存問，彌感慚愧。因而今年四月二十二日就採〈謹次夢機兄敬輓汪中教授元韻〉，七月二十日則用〈敬借夢機漫興元玉追念戎庵〉方式，是想讓詩的論題更有交集。暑假原擬八月中旬秋闈衡文過後即專程探視，也託長子從網路列印出玫瑰中國城的地圖，又深怕他沮悵，在七月十八日先贈一詩云：「君詩老練彌平淡，拜讀經年豈吝言。感事傷時極沉鬱，少陵忠愛是根源。」八月七日又寄上〈敬次藥樓坐雨候友朋至贈主人夢機〉七律云：「鴻裁佩爾意枚枚，椅上構思疑百回。坐雨候朋存酒肉，守樓燉藥聽風雷。書堪養志琳瑯目，茗貴清神馥郁杯。不畏喧豗棋局散，愛它月出有詩陪。」

詩後附註云：「《詩•魯頌•閟宮》：『閟宮有侐，實實枚枚。』《疏》：『枚枚者，細密之意。』又、第三句指夢機家貯存美食以待客也。」想不到詩寄出後不久，夢機卻以心臟衰竭，在八月十二日凌晨往生於新店耕莘醫院，洵乃上庠暨詩壇之大不幸，爰特撰七言絕句四首，以悼其在天之靈。（編案：詩見輓詩（八））

慶煌案：本文嘗節登於「人間福報」。

《懷夢機》四首幷序

陳慶煌冠甫（二〇一三年九月四日）

渡也陳啓佑兄寄贈《張夢機詩文選編》，讀時有感於龔鵬程在〈前言〉中引馮永軍所撰《當代詩壇點將錄》點夢機爲：「天罪星短命二郎阮小五。」竊以爲：夢機讀中學時，即從父執鄒滌暄習詩；進臺師大，幸拜墨堂李漁叔門下，並受教於萬谷吳敬模及詞家江絜生。因而早歲所作《師橘堂詩》與《西鄉詩稿》中之古風，嘗蒙李、吳二老爐錘，頗具家風；然其才情俊發，壯懷意興，豪氣磅礴，甚且超越乃師。可惜知命之年，驟攖風疾，藥廬續命，輪椅構思，其懷悲苦，律法轉嚴而浩氣竟頹爲憾耳！爰開機就電腦螢幕前，率成小詩四首以報啓佑云：

其一、搔首問天胡此生，詩壇點將有微評。二郎短命張長壽，七十古稀稱老兵。

其二、阮小五名天罪星，夢機無奈中風經。廿年堅忍詩千首，活在人間受酷刑。

其三、體壇健將早吟哦，五古英年喜放歌。雙老李吳心影在，天風海雨墨堂劘。

其四、藥樓足痺養沉痾，遣悶惟詩積疊多。日夜反芻純宋法，難踰斗室命來磨。

跋語

「人生天地間，忽爲遠行客。」悲哉！死生倏忽，天地若旅，乃古人常所嗟歎者也。至謂大去隨化，若遠行焉，不過強爲寬慰之言爾。

張師夢機離塵遠行，至今四年餘矣！每思中大晏談，咖啡共煙草飄香；藥樓聆教，茶韻並詩句流芳；未嘗不悵然有餘哀焉。

猶記五、六年前，每趁課間空暇，往訪夢機師。師常以新得之詩句示余，余每訝其得句之秀與成詩之速。某日，師云印刻雜誌社末校後將梓行其詩作，（此即書肆所陳列之《藥樓近詩》也。）余心甚樂，暗擬攜篇就教之期。未料數椀茶過，師又謂余曰：「尚有詩稿若干，亦足成一秩。」余心訝焉！方知詩人之用心於筆耕者，如是之專且勤也。豈知《藥樓近詩》面世未及四月，師遽蒙帝召，長眠三峽。哀哉！慟也！師言歷歷，猶繞耳際，而所謂足成一秩之詩篇，則未知其所蹤。

余親隨夢機師，問詩請字二十餘年。自愧無驚心動魄之作，亦乏換骨奪胎之能，才庸識拙，唯步武平仄，差能整齊而已。然師語縈耳，師恩銘心，殷殷切切，難以釋懷；遂不揣簡陋，召請詩友，自任主編，廣求夢機師未刊詩稿。並於社羣網路中成立編輯社團，以利意見及資料之交流；欲覓而編成夢機師生前所嘗云之「一秩」。

不旋踵而佩玲、維仁、富鈞諸位責肩編輯之詩友，紛紛將其所蒐之詩上傳於社羣網路，而劉敏華阿姨亦將其經手打字之檔案，託人送至；更可貴者，乃夢機師之公子凱君、凱亮，將師之手稿、打字稿及相關資料整理後，託富鈞仁弟郵寄，轉交於余，以爲校對之資。不唯如是，中大孫致文老師亦惠賜其手編追思會之輓聯、詩、詞焉。至是詩稿大備，而讎校亦略有所憑矣！余常於清夜，檢讀詩行，回思故人渺渺，往事歷歷；常致清淚漣漣，袖襟斑斑。而今蒐、編、輯、校諸事已略備矣，將付文史哲出版社梓行焉。回思其始，雖憑託夢機師之一言，亦余私心之所願也。

因「師橘堂」、「西鄉」、「鯤天」、「藥樓」、「思齋」、「鷗波」，甚至「雙紅豆篋」、「碧潭煙雨」，皆夢機師自編其書所嘗用之名，而其風疾後諸集率多以「鯤天」、「藥樓」爲名。原有意沿用之，然慮及本書既輯夢機師未付剞劂之詩稿而成秩，若沿用其前之書名，或令讀者覺書中所錄詩有所偏取。思之再三，遂以師之名諱冠弁書名，而稱「夢機集外詩」，以明此集中之詩不偏於前述諸集也。

集中詩稿則大抵依夢機師生前已編定之次序及名稱，冀存原貌，不另作編修。全書共分六部：其中《鯤天賸稿》及《藥樓賸稿》二部爲夢機師自定之名，許多詩已編入《藥樓近詩》中；今去其重，僅收未刊於《藥樓近詩》之詩作。而《藥樓集外詩》之部，其名爲編者代定，所收者爲劉敏華阿姨打字之詩稿。另者，《兩張詩壇所刊詩輯補》及《古典詩刊所刊詩輯補》二部乃夢機師已發表於文學刊物之詩作，印刻出版之《藥樓近詩》已有所收錄，今將印刻未收之作，以「輯補」之名，錄入此書，冀求其全。末部則爲夢機師追思會之輓聯、輓詩、輓詞、追思文，收以爲附錄焉。此非用以彰顯夢機師之交遊、聲名，僅期以師友、親交、生徒之筆，略明夢機師之容止及儀行。泥上鴻跡，雖非鴻飛之所憑藉，亦足以使人知鴻之小大焉。

書既編成，遂持稿敦請顏教授崑陽、陳教授文華濡筆爲序。二位教授與夢機師傾蓋相交四十餘載，情贈興答，哀樂與共，歌哭相隨，未嘗間斷。今爲斯書所作之序，不唯書序，亦將持贈夢機師，以慰其遠行焉。望遠遊之詩魂，溉後來之文種，使古典詩之新篇佳作，得以緜緜不絕；而好爲古典詩之騷人雅士，廣及五洋七洲。余以爲若斯功可就，顏、陳二教授亦足以當所謂興滅國，繼絕世者也。此或聊可告慰夢機師生前所喟歎者於萬一焉。

甲午歲暮立春之初，台中賴欣陽敬題於編後。